D0574103

Mannen, geld & chocola

Lees meer op:
www.uitgeverijarchipel.nl
www.uitgeverijarchipel.be

Menna van Praag

Mannen, geld & chocola

Vertaald door
Petra C. van der Eerden

Amsterdam · Antwerpen

Eerste druk oktober 2009
Tweede druk oktober 2009

Oorspronkelijke titel: *Men, money and chocolate*
Uitgave: Hay House, Londen

Omslagontwerp: Studio Jan de Boer

ISBN 978 90 6305 5509 / NUR 302

Een verhaal over liefde, succes en genot,
en hoe je gelukkig wordt vóór je dat alles hebt...

Voor Artur, mijn lief, mijn licht

Ga naar die stille plek in je hart.
Voel de onmetelijkheid van de wereld
en haar grenzeloze mogelijkheden.
Dan weet je dat je alles kunt doen
en alles kunt krijgen.
Dan zie je dat je op dit moment
volmaakt bent, precies zoals je bent.

Een voorwoord over zelfinzicht

Aan het begin van dit verhaal baalt Maya, de hoofdpersoon, van haar leven, maar ze weet niet wat ze eraan moet doen. Ze zit gevangen in angst, twijfel en negatieve gedachten en denkt niet dat ze ooit van het leven zal kunnen genieten.

Dan ontmoet ze een reeks bijzondere mensen die haar laten kennismaken met een aantal geheimen van het geluk. Met hun hulp vindt Maya de moed en de passie om zelf vreugde in haar leven te brengen.

Maar in het begin zit Maya nog steeds vast in zelfmedelijden. Dat voelt misschien ongemakkelijk, vooral als je jezelf af en toe hard aanpakt en zeer hoge eisen aan jezelf stelt. Mogelijk bekijk je Maya met een zekere ergernis en veroordeel je haar omdat ze er zo in blijft hangen, net zoals je dergelijke 'fouten' bij jezelf wellicht afkeurt.

Maar als je Maya volgt op haar zoektocht, leer je vanzelf lief te zijn voor jezelf. En als je Maya begint te accepteren en waarderen, en meeleeft met haar problemen, kun je ook jezelf onvoorwaardelijk leren liefhebben.

En natuurlijk, onvoorwaardelijke liefde is een van de diepste, meest essentiële sleutels tot het geluk...

Toen Maya The Cocoa Café binnenstapte, zonk de moed haar een beetje in de schoenen. Elke ochtend verliep hetzelfde. Wakker worden als het nog donker was, aankleden en koffiedrinken, daarna langzaam de trap af, van haar woonverdieping naar het koffiehuis. Dan was ze een paar uur aan het bakken, tot de eerste klant de bel deed rinkelen.

Het koffiehuis was ooit de droom van haar moeder, en als klein meisje vond Maya het er geweldig. Ze hielp met bakken, vegen en bedienen. Ze zat achter de toonbank terwijl haar moeder Lily druk bezig was. Dan staarde ze naar de deur en sprong op zodra die openging.

Maya vond het heerlijk om grote stukken chocoladekersentaart, frambozenschuimtaart en citroencake af te snijden. Ze bood klanten verse donuts met lavendelsuiker en geglazuurde citruskoekjes aan. Met een glimlach zag ze hoe de mensen verrast opkeken als ze hen de lekkernijen over de oude eikenhouten toonbank toeschoof.

Toen Maya eindelijk achttien was, was ze klaar om de warmte van het koffiehuis te verlaten en de wereld in te gaan. Ze had een plaats weten te bemachtigen aan Trinity College in Oxford om Engelse Literatuur te gaan studeren en popelde om te beginnen. Ze kon nergens anders meer over praten. Klanten feliciteerden haar en in ruil daarvoor gaf Maya hun gratis chocoladecakejes. Lily was zo trots op haar dochter dat ze het 'taartje van de week' Trinity Tiramisu had genoemd, ter ere van Maya. Ze had het die hele zomer op het specialiteitenbord laten staan.

Oxford was precies zoals Maya gedroomd had. Ze wandelde er tussen woorden, vulde haar dagen met verdwalen in vertellingen en haar nachten met het bedenken van nieuwe verhalen voor personages.

Ze las elk brokje literatuur dat ze in handen kreeg en, verscholen in het doolhof van gangen met daarin minimaal één exemplaar van ieder boek dat ooit gedrukt was, werkte ze zichzelf alfabetisch door de hele bibliotheek heen.

Op een avond zat Maya nog laat in de bibliotheek te studeren toen ze op een heel bijzonder boek stuitte. Toen ze het uren later eindelijk had neergelegd, tuurde Maya uit het raam en glimlachte naar de sterren. Op dat moment wist ze dat ze eindelijk haar plek in de wereld had gevonden. Op dat moment wist ze dat ze schrijver was. In de stilte had Maya haar ziel horen spreken en voor het eerst had ze echt gevoeld dat ze leefde: zo fel als bliksem en zo licht als lucht.

Vanaf dat moment deed ze niets dan schrijven. Hele schrijfblokken vol, zo snel dat er al gauw honderden verspreid lagen over de vloer van haar slaapkamer. Elk stukje papier werd een pagina. Maya krabbelde novelles neer op servetjes, bonnetjes en afgescheurde kaartjes, en verraste zichzelf soms met zinnen die zo mooi en waarachtig waren dat ze haar de adem benamen.

Maar een half jaar nadat Maya het huis uit gegaan was,

werd Lily ziek. Eerst wisten ze niet wat het was. Eerst was er nog hoop. Maar weer twee maanden later, toen de diagnose bevestigd was, verliet Maya Oxford om haar moeder thuis te verzorgen. Lily had het uiteindelijk volgehouden tot de dag voor Kerstmis, en op de avond dat ze overleed vroeg ze Maya om het koffiehuis over te nemen.

Dat was tien jaar geleden en Maya deed haar best om er nu niet aan te denken: aan de dag dat ze haar moeder verloor en het moment dat ze zichzelf kwijtraakte. Maar de pijn was nog altijd voelbaar in haar hart, diep ingebed in een donker, vochtig plekje dat bonkte als ze eraan dacht.

Maya zuchtte terwijl ze de zaak door liep, langzaam voorbij de lege planken die straks zouden kraken onder het gewicht van taarten en chocoladeplaatkoek. Stap voor stap daalde ze de trap af naar de keuken van het koffiehuis. Daar bleef ze tot de zon opkwam; ze boog zich over deegkommen, voorzag bakvormen van bakpapier, deed de oven open en dicht en nam af en toe een lepeltje honing of een stukje chocola.

Elke dag opnieuw verloor Maya de eeuwige strijd tegen een ontbijt van koffie met chocoladebroodjes. Soms wist ze zich een paar uur in te houden, maar het was zelden later dan tien uur dat ze zich met een enorm schuldgevoel op een paar chocoladebroodjes stortte. De rest van de dag gleed dan onvermijdelijk de vergetelheid in. Altijd was er de verleiding van die chocolade-lekkernijen en Maya vroeg zich af waarom ze nou niet één keer de wilskracht op kon brengen om een stuk fudgetaart te weerstaan.

Maya maakte een cappuccino voor zichzelf en ging achter de toonbank zitten. Ze staarde naar de regen op straat. Ze zag de mensen voorbijsnellen, verscholen onder hun paraplu, vechtend tegen de wind.

Ze keek met een vluchtige blik naar een schaal chocoladecakejes op de toonbank en zwoer een plechtige eed dat ze vandaag geen zoetigheid zou eten. Ze keek omlaag naar het nog niet opengeslagen zelfhulpboek in haar handen. De titel beloofde Maya te genezen van haar verslaving aan niet-beschikbare mannen. Bij het trieste beeld vervolgens van haar taartbuikje onder het schort sloeg Maya een pagina op. Ze probeerde haar aandacht erbij te houden, maar het ging niet van harte.

Soms was Maya bang dat ze haar dromen uiteindelijk zou moeten laten varen. Ze probeerde al jaren een roman te voltooien en tussen het bakken van taarten, het bedienen van klanten en het tobben over haar rekeningen door krabbelde ze zinnen neer. Ze had haar best gedaan, gehoopt en gewenst dat ze de liefde zou vinden, maar was de laatste tien jaar óf serieel single óf aan het bijkomen van een mislukte romance. En elke dag opnieuw probeerde ze zichzelf op een streng dieet te zetten en een beroep te doen op haar steeds kleiner wordende restje wilskracht, en elke dag opnieuw zwichtte ze voor de verleiding.

Maya's wereld werd bepaald door haar gedachten over mannen, geld en chocola; en deze gedachten waren bijna altijd deprimerend en vol zelfkritiek. In haar streven naar liefde, succes en de slanke lijn had ze nooit iets gevonden dat op vreugde leek, maar toch bleef ze het proberen. De gedachte kwam zelden bij Maya op dat ze misschien verkeerd bezig was, dat ze in haar obsessieve streven naar die specifieke doelen wellicht iets over het hoofd zag.

Soms had Maya het gevoel dat er een of andere speciale sleutel tot het geluk bestond, die net buiten haar bereik lag. Er waren immers van die zeldzame momenten dat haar onverwacht een kinderlijk soort vreugde bekroop. Als ze met haar hoofd boven een deegkom hing en de geur van suiker opsnoof, of als ze de zon tussen goudgele boomblaadjes door zag dansen. Zonder dat Maya wist hoe of waarom werd ze soms ineens overvallen door de herinnering aan iets van vroeger. Dan glimlachte ze als vanzelf en zag een hele wereld, helder en licht, voor zich opengaan. Eén oneindig moment lang werd ze dan overspoeld door een gevoel van warmte en rust. Maar het volgende moment was het weer verdwenen.

Dus hoewel Maya diep in haar hart geloofde dat ze ooit echt gelukkig kon worden, had ze absoluut geen idee hoe.

Maya dronk haar cappuccino en keek het koffiehuis rond. Toen haar moeder er nog was, zat het altijd vol mensen, vol vrolijk gebabbel. Maar tegenwoordig was het al te vaak leeg.

Maya maakte zich zorgen dat ze haar schulden niet snel genoeg afloste. De eerste paar jaar na de dood van Lily had Maya geen idee van financiën en had ze een paar flinke fouten gemaakt. Tien jaar later drukten de gevolgen nog steeds zwaar op haar en het deed haar geen goed dat er overal in de stad steeds meer van die onderling uitwisselbare koffiezaken kwamen, als een soort genetisch kloonproject, gericht op wereldheerschappij. Het leek wel alsof er elke week drie nieuwe in één straat gevestigd werden.

Maar voorlopig wist Maya het hoofd net genoeg boven water te houden om zichzelf te redden van de financiële ondergang. Haar vaste klanten waren heel trouw. Ze waren haar moeder trouw geweest en ze waren haar nu ook trouw. Tenminste, zolang ze Lily's beroemde plaatkoek bleef bakken en de cappuccino bleef serveren met cacaoboontjes in een chocoladejasje.

Maya staarde naar haar enige klanten, een stel in de hoek, gezellig genesteld in de zachte kussens van verschoten rood fluweel. De man fluisterde het meisje iets in haar oor en ze giechelde. Maya wendde haar blik af. Ze dronk haar kopje leeg en pakte een cakeje. Nu ze zelf niemand had, kon ze de aanblik van twee verliefde mensen niet aan zonder troostrijke chocola.

Zoals altijd op dit soort momenten dwaalden Maya's gedachten af naar Jake.

Jake was een klant over wie Maya regelmatig fantaseerde. Ze kon urenlang wegdromen in hetzelfde heerlijke scenario; met zijn tweetjes samen in een geweldig duur appartement in Parijs, waar ze baadden in champagne en elkaar aardbeien voerden. In deze dagdroom kon ze trouwens enorme hoeveelheden chocoladetaart eten, zonder ook maar één kilo aan te komen. Soms varieerde Maya wat details, meestal de locatie.

Jake was lang, blond en hartverscheurend prachtig. Sterker nog, Maya dacht vaak dat hij eigenlijk mooier was dan goed voor hem was. Of goed voor haar, aangezien hij haar nauwelijks zag staan. Uiteraard flirtte hij wel, maar ze wist dat hij zo met iedereen omging, dat hij iedereen met zijn charme om zijn vinger wist te winden.

Jake had iets over zich dat haar uitnodigde om hem te bewonderen, aanbidden en begeren, terwijl het tegelijk duidelijk was dat hij verder verboden terrein was. Dus zelfs als hij haar dicht genoeg bij hem zou laten komen, zou een deel van zijn hart altijd onbereikbaar blijven.

Maar Maya was reddeloos, hopeloos en tot over haar oren verliefd op hem. En ook al wist ze absoluut en onbetwist zeker dat dit een man was die nooit voor haar zou vallen, ze hield toch vast aan een kruimeltje hoop dat de mogelijkheid erin zat. Net als mensen die elke week opnieuw meedoen met de loterij wist Maya dat haar kans op succes weliswaar minimaal was, maar dat het toch niet volslagen onmogelijk was dat Jake op een dag de hare zou zijn. En intussen teerde ze op haar fantasieën over hun eventuele leven samen.

Soms ving Maya wel eens iets op als Jake mobiel stond te bellen terwijl hij wachtte op zijn afhaalcappuccino. Dan luisterde ze stiekem naar de ups en downs in zijn liefdesleven. Maya hoorde hoe hij met vriendinnen jongleerde, hoe hij er in elke hand eentje opving, waarbij hij er één achter zijn rug verborg terwijl hij een ander handkusjes toewierp. En met elke nieuwe onthulling drongen Maya's angsten over Jake zich dieper in haar hart. Toch hield ze zichzelf voor dat hij er misschien wel mee zou stoppen als hij op een dag voor de juiste vrouw zou vallen. En Maya bedacht dat zij, met een beetje geluk en een hoop goede wil, die vrouw misschien zou kunnen zijn.

De bel boven de deur rinkelde. Maya keek op en zag Jake binnenkomen. Hij schudde de regen van zijn paraplu en wierp haar meteen een stralende glimlach toe. Maya ging rechtop zitten en trok haar buik in. Jake liep naar de toonbank, nog steeds gewapend met zijn grijns van duizend kilowatt.

'Doe maar...' begon hij.

'Een medium cappuccino, extra cacaoboontjes,' maakte Maya zijn zin af.

'Precies. Dank je.'

Maya draaide zich om naar het espresso-apparaat en baalde dat ze die ochtend haar haar niet gewassen had.

'Het is vandaag stiller dan anders,' zei Jake.

'Ik weet het,' piepte Maya, weer zorgelijk over het steeds verder afnemende aantal klanten en haar nogal precaire financiële situatie.

Jake zei niets en Maya's stem galmde schel door de stilte. Ze was koortsachtig op zoek naar een onweerstaanbaar geestige opmerking, maar ze kon niets bedenken. Ten slotte draaide Maya zich weer om en gaf Jake zijn koffie. Hij haalde het dekseltje van de beker en nam een slokje.

'Perfect.'

'Jij hebt zeker lippen van roestvrijstaal.' Maya glimlachte terwijl ze naar zijn mond keek.

Hij gaf haar een vijfje. 'Pardon?'

'Nee, ik bedoel...' zei Maya, 'ik bedoel alleen dat ik... Ik kan het nooit zo heet drinken.'

'Oh?'

'Ja, maar ik wou niet...'

Maya zocht naar de juiste woorden, maar verloor zichzelf in Jake's volmaakte schoonheid. Op dat moment ging zijn telefoon. Hij wendde zich af om op te nemen en liep al pratend weg. Maya keek toe hoe hij de zaak uit liep. Ze boog zich iets voorover voor een beter uitzicht. Ze wachtte tot de deur zich achter hem sloot. Toen kreunde ze en bonkte zachtjes met haar hoofd op de toonbank.

Maya had die frustraties niet altijd gehad. Hoewel ze het zich nauwelijks kon herinneren, was ze twintig jaar geleden volmaakt gelukkig geweest. Zonder een spoortje twijfel of angst wist ze toen wat ze wilde in het leven en hoe ze dat moest bereiken. Wens en doel vielen bij haar samen en er wachtte haar zonder enige twijfel een prachtige toekomst.

Als kind had Maya vaak gedacht aan het heerlijke leven dat ze als volwassene zou hebben, met een beeldschone man die haar zou aanbidden, een kind en werk dat ze net zo leuk vond als spelen.

Maya vond het destijds prettig om dat soort dingen met God te bespreken. Ze was niet gelovig opgevoed, dus ze richtte zich niet tot een specifieke god. Het was meer een soort intuïtie, een gevoel dat er ergens iets of iemand was. Iets of iemand die luisterde.

Vaak richtte Maya haar dromen op de lucht, de wolken, of een vogel, of een boom. In alles wat ze zag, bespeurde ze de invloed van magie, van kosmische energie, van God. En dus bleef ze praten. En hoewel ze het in haar hoofd niet hoorde, wist ze dat ze antwoord kreeg, want dat voelde ze in haar hart.

Maya vond het geweldig om zo te praten. Ze had het gevoel dat ze een bijzondere, geheime band met de schepping had. Ze huppelde over straat, sprong op om de bladeren aan de takken aan te raken, ving het zonlicht in haar handen en moest lachen toen ze haar hart voelde tintelen van vreugde. Maya zat er niet mee dat mensen haar raar aankeken. Dan glimlachte ze maar wat, alsof ze haar geheim wel met hen wilde delen, maar niet goed wist hoe ze dat moest aanpakken.

Maya bezag de wereld alsof het een dierbaar levend wezen was. Ze had het idee dat ze hecht verbonden was met alles, dat ze er met haar hele wezen deel van was. Ze was altijd op zoek naar patronen in het ritme van het leven, naar hints en aanwijzingen, terwijl ze zich bezighield met de vragen waar het leven haar voor stelde. Maya speelde met alles wat ze tegenkwam. Ze ving bladeren die dansten in de wind en stelde zich voor dat ze zweefden op de adem van een universum dat genoot van alles wat het had geschapen.

Soms was Maya stil. Dan kon ze eindeloze, lome momenten lang naar dingen staren. Ze was graag buiten, waar ze op het gras zat en opkeek naar de zwaluwen die door de lucht scheerden. Maar het allerliefste keek ze naar kikkers. Dan lag Maya op haar buik te wachten op een zacht geritsel in het gras. En als er dan een piepklein groen kikkertje langs haar neus sprong, maakte haar hart ook een sprongetje. Ze kroop dicht naar het diertje toe als het was geland om het kleine hartje te zien pompen, tot het kikkertje de drang voelde om weer een sprong te wagen.

Lily had vaak toegekeken als Maya naar de lucht lag te babbelen en ze vond het maar zorgelijk. Maar ze hield zichzelf voor dat Maya er wel overheen zou groeien. En dat was ook zo. Op een dag hield Maya op met haar gesprekken met God.

Ze was negen jaar. De eerste dag op haar nieuwe school. Ze had heel veel zin om nieuwe vriendjes te maken, om met ze te gaan wandelen, om haar geheimen met hen te delen. Maar toen Maya die eerste middag langs de bomen huppelde en met de vogels praatte, leerde ze hoe vreselijk het is om het buitenbeentje te zijn, om het mikpunt te zijn van de kinderen op het schoolplein. Hun pesterige stemmen klonken overal en de tranen liepen over haar gezicht. De vernedering gleed langs haar rug naar beneden, kroop haar borst in en wikkelde zich om haar hart heen. De zure smaak bleef dagenlang in haar mond hangen en de stemmen spookten nog jaren rond in haar dromen.

Dat was de laatste keer dat ze naar de lucht had opgekeken, had gelachen naar niets en had gepraat met iets wat ze niet zag, maar alleen kon voelen. Dat moment was Maya in haar latere leven bijgebleven en ze begreep waarom de meeste volwassenen zo angstvallig beheerst door het leven gingen, te bang om naar een vreemde te glimlachen. Ze begreep dat de angst voor een gênante situatie een enorme domper op vreugde zet.

Tegenwoordig opende Maya haar hart niet meer voor God, of voor wie dan ook. Ze hield haar verlangens en dromen voor zichzelf. Geheimen werden diep weggestopt, om alleen voor de dag gehaald te worden in totale eenzaamheid.

Maar het feit dat ze er met niemand meer over sprak, weerhield haar er niet van om de hele dag te dromen. Haar verlangens waren geen moment uit haar hoofd als ze tegen de toonbank van het koffiehuis leunde. En zolang niemand haar stoorde, kon Maya urenlang dagdromen.

Maya zat achter de kassa een boterham en haar zoveelste cakeje te verstouwen. Na de teleurstellende ontmoeting met Jake had ze opnieuw troost gezocht in chocola. Ze bladerde wat in een tijdschrift, keek jaloers naar de dunne beroemdheden en probeerde te vergeten dat de dag nog niet half voorbij was en ze geheel tegen haar plechtige eed in alweer twee keer door de knieën was gegaan voor chocola.

Maya deed haar uiterste best om niet aan Jake te denken en concentreerde zich op het schoonmaken van het espresso-apparaat. Het zag er niet naar uit dat ze die ochtend veel klanten zou krijgen, dus ze haalde het ding maar meteen eens helemaal uit elkaar.

Maya zat nog steeds met haar hoofd diep in het espresso-apparaat toen ze werd verrast door een aantal kuchjes. Ze draaide zich om en zag een piepklein oud dametje aan de andere kant van de toonbank staan.

'O, hallo.' Maya veegde haastig haar handen af aan haar schort. 'Ik was even...'

'Ik wil graag een grote chocolademelk, liefje,' sprak het oude dametje. 'Met veel schuim.'

'Het spijt me, maar dat kan nu niet. Ik ben net de machine aan het schoonmaken.'

Maya zette zich schrap voor de irritatie van de oude dame. Maar verrassend genoeg lachte ze alleen, drukte haar kleine neusje tegen de vitrine en wees naar de chocolate chip-sinaasappeltaart die Maya die ochtend had gebakken.

'Nou liefje, doe dan maar een groot stuk van die heerlijke taart daar.'

Maya knikte, deed de vitrine open en pakte de taart. Ze sneed een stuk af terwijl het oude dametje glimlachend toekeek. Maya probeerde haar blik op het mes te houden. Maar er was iets met die vrouw. Iets waardoor Maya voelde dat ze zelf ook glimlachte. Ze kon er de vinger niet op leggen, maar ze had iets bijzonders over zich.

'Doe je met me mee?' vroeg de oude dame.

'Pardon?'

'Neem ook een stukje.'

'O, nee hoor... Ik heb het nogal druk.'

De oude dame keek haar aan. 'Echt waar?'

Maya fronste haar wenkbrauwen. Klanten spraken haar nooit zo direct aan, áls ze al iets tegen haar zeiden. Behalve hier en daar een 'dank-u-wel' was er nooit sprake van enige diepere interactie als ze aan het werk was.

Maya keek de vrouw argwanend aan. Voor iemand die zo direct was, leek ze bedrieglijk timide. Een klein vrouwtje met een kort grijs bobkapsel, een blauwe twinset, parels en kleine oogjes die vastberaden door haar goudkleurige brilmontuur priemden. Maar haar ogen fonkelden. Zonder enige reden, of misschien juist daarom, voelde Maya plotseling dat ze haar vertrouwde.

'Nee, ik heb het helemaal niet druk.'

'Dan doe je toch gezellig met me mee?'

Dat was iets wat Maya niet meer had gedaan sinds ze klein was. In de tijd dat ze met iedereen praatte, zat Maya altijd met de klanten aan de taart, plaatkoek en warme chocolademelk. En nu besefte ze ineens hoe ze dat had gemist. Met een lichte pijn in haar hart knikte Maya. Ze kwam achter de toonbank vandaan en liep achter het oude dametje aan naar een tafeltje.

'Ik ben Rose,' zei ze terwijl ze gingen zitten.

'Maya.'

Het was stil. Rose stortte zich elegant op haar taart. Na een paar happen keek ze op.

'Dat had ik goed gezien. Hij is echt zalig.'

'Dank u.'

'Wil jij niets?'

'Ik eet geen taart,' loog Maya. 'Ik word er akelig van.'

'O, op die manier.'

Maya leunde achterover in een poging om de verleiding van de taart te weerstaan. Ze vocht tegen de drang om het stuk van het bordje van Rose te grissen en in haar eigen mond te proppen. Terwijl Rose zorgvuldig de laatste kruimels met een natte vinger van haar bordje pikte, bekeek ze de jonge vrouw nauwlettend. Maya schoof ongemakkelijk op en neer. Ze was niet gewend om zo bekeken te worden en ze voelde zich er niet prettig bij.

'Je bent hier niet vaak, hè?'

'Elke dag behalve zondag,' zei Maya.

'Dat bedoel ik niet, liefje.'

'Wat dan?'

'Het is net of jij je leven niet echt leeft, maar eerder toekijkt terwijl het geleefd wordt. En daarom ben jij zo... ongelukkig.'

'Denkt u?' zei Maya met een bedenkelijke blik.

'Zo is het toch? Sorry hoor, liefje, maar je komt nogal ongelukkig over.'

Maya was tegelijk geschokt en geraakt door de eerlijkheid van de oude dame. En steeds als ze 'liefje' zei, leek ze het ook echt te menen. Toen Maya glimlachte, lachte Rose terug met zoveel medeleven dat ze er helemaal warm van werd. En tot haar eigen verrassing en schaamte sprongen de tranen in haar ogen.

'Ja, dat klopt,' zuchtte Maya. 'Heel erg.'

'Zoiets kun je niet verbergen,' knikte Rose. 'Je ziet het altijd in iemands ogen.'

'Wat is er mis met mijn ogen?'

'In jouw ogen, liefje, ontbreekt elk spoor van een fonkeling.'

Er stond nu een schaal chocoladeplaatkoek tussen Maya en Rose op tafel. Het oude dametje smikkelde van haar derde stuk en de jonge vrouw keek toe. Rose schoof haar de schaal toe, maar Maya schudde het hoofd.

'Wil je echt niet een stukje?' vroeg Rose terwijl de kruimels op haar schoot vielen. 'Het is echt heerlijk.'

'Weet ik. Ik heb dit jaar al zeker honderd stukken gegeten,' zei Maya. Voorzichtig ontvouwde ze deze halve waarheid, waarmee ze een stukje van haarzelf aan Rose liet zien.

'O, zoveel is dat niet,' zei Rose. 'Het is al september.'

'Ja, nou ja, dat was niet helemaal waar,' gaf Maya toe. 'Ik eet er minstens drie per dag.'

Rose glimlachte, stak het laatste stukje plaatkoek in haar mond en kauwde het genietend weg.

'Hoe doet u dat?' vroeg Maya. 'Hoe kunt u zoveel eten en toch zo slank blijven?'

'Dat geloof je toch niet.'

'Waarom niet?' Maya keek bedenkelijk en probeerde zich voor te stellen wat voor spectaculair dieetgeheim het oude vrouwtje in vredesnaam kon hebben.

'Dat kan ik je nu niet vertellen.' Rose veegde de kruimels van haar schoot. 'Je bent op een zoektocht en je komt er vanzelf. Maar bepaalde dingen in het leven moet je ervaren voor je ontdekt hoe je altijd op je ideale gewicht kunt blijven.'

'Dus u weet het?' zei Maya geschokt. 'En toch vertelt u het mij niet?'

'Het gaat in het leven net als op iedere willekeurige school,' legde Rose uit. 'Je moet eerst de grondbeginselen begrijpen voor je kunt doorgaan met de hogere waarheden. Als ik je die nu zou vertellen, zou je niet weten wat je ermee aan moest. En wat nog veel belangrijker is: je zou me niet eens geloven.'

Maya keek de oude dame verontwaardigd aan, woedend, klaar om die waarheden desnoods uit haar te persen. Ze voelde haar woede en frustratie opwellen, maar toen ze bijna uit elkaar knalde, zuchtte Maya. Ze besefte dat Rose gelijk had.

'Ik weet niet eens hoe ik de simpelste dingen in het leven voor elkaar moet krijgen. Liefde, succes en geluk lijken me totaal onbereikbaar. Andere mensen vinden het elke dag weer, maar mij lukt het niet. Ik snap niet wat er mis is met mij.'

'Aha.' Discreet schikte Rose haar kapsel en legde een losgeschoten krul weer op zijn plek. 'Nu zie ik wat jouw eerste les moet zijn.'

Maya richtte zich iets op en probeerde niet al te nieuwsgierig te kijken. Ondanks al haar cynisme besefte ze dat er mensen waren die de geheimen des levens kenden, en dat Rose er daar één van was. Ze had nog nooit zo'n blij mens ontmoet, zo stilletjes tevreden met het leven.

'Je moet niet meteen op zoek gaan naar alles wat je hebben wilt,' zei Rose. 'Besef eerst eens hoe moeilijk je het jezelf maakt. Dat is het begin. Je moet aardiger worden.'

'Hoe bedoelt u?' Terwijl Maya zich naar haar toe boog, pakte Rose haar hand en streelde die zachtjes. Warmte kleurde Maya's huid en net vóór ze haar hand wilde terugtrekken, realiseerde ze zich dat ze al heel lang niet meer zo teder was aangeraakt. Het was zelfs een tijd geleden dat iemand haar überhaupt had aangeraakt.

'Liefje, jij denkt dat er iets mis is met jou,' zei Rose. 'Je vindt dat je te zwaar bent, dat je niets kunt en geen wilskracht hebt. Maar dat is niet waar. Je vindt het vreselijk om in dit koffiehuis te werken en je vindt het laf van jezelf dat je niet achter je echte dromen aangaat. Maar dat is niet laf. Je zou graag een vriend hebben, voor een deel omdat je je alleen voelt, maar vooral omdat het feit dat je niemand hebt volgens jou betekent dat er niemand van je kan houden. En dat is al helemáál niet waar.'

Rose kwam dichterbij en keek met haar fonkelende groene ogen heel gericht naar Maya, die een klein glimlachje niet kon onderdrukken, hoewel ze eigenlijk bijna moest huilen.

'Hoe weet u zoveel over mij?'

'Ik ben een oude vrouw. Ik weet zoveel dingen. Als je goed naar andere mensen gaat kijken, ga je vanzelf allerlei dingen zien die je eerder nooit waren opgevallen. De meeste mensen hebben het veel te druk met hun eigen sores om een beetje aandacht te hebben voor een ander.' Rose zuchtte even en lachte toen weer. 'Dat is jammer, want zo missen ze heel wat.'

'Ik had u bijna gemist.'

'Ja, liefje. Bijna.'

Maya glimlachte weer. Die vrouw had iets over zich waardoor je bijna wel móest lachen. Ze leek zo tevreden, zo blij met alles, en haar vrolijkheid was aanstekelijk. Maya was nooit zo aanhalig, maar ze had nu ineens de neiging om Rose een knuffel te geven.

Rose grijnsde alsof ze wist wat Maya dacht. Maya keek met enige gêne naar buiten. Het regende niet meer. Ze hoopte dat het niet ineens druk zou worden. Ze had de omzet wel nodig, maar ze bleef toch liever met Rose praten. Maya liet haar blik weer naar de oude dame gaan.

'Waarom kijkt u zo naar me?'

'Sorry, liefje. Hoe kijk ik dan?'

'Alsof u iets over mij weet wat ik zelf niet weet.'

'O, je weet het best. Je wilt het gewoon niet geloven.'

'Wat wil ik niet geloven?'

'Dat je volmaakt bent,' zei Rose. 'Precies zoals je bent: single en stumperig en zo... sexy. Als je daar maar in kon geloven, dan zou je leven zich ontvouwen tot iets schitterends.'

Dat was zo'n radicaal idee voor Maya, zo'n intense schok, dat ze nauwelijks verstond wat Rose zei. Ze keek vluchtig naar de deur.

'Nee,' zei ze. 'Mijn leven zou volmaakt zijn als Jake voor me zou vallen, als ik een bestseller zou schrijven en zes kilo zou afvallen. Dan zou ik gelukkig zijn.'

Rose trok haar wenkbrauwen op en haar groene ogen schitterden. Wat zou ze deze jonge vrouw graag nu meteen alle sleutels tot een gelukkig leven geven. Dat zou zoveel tijd schelen, zoveel pijn. Maar ze kon er niets aan doen. Zo ging het nu eenmaal niet. Want dat werkte nooit.

Rose wist uit ervaring dat inspirerende lessen essentieel waren op het pad naar voldoening en vreugde, maar dat die lessen alleen nooit genoeg waren. Om de een of andere reden die zelfs zij niet begreep, moest advies worden aangevuld met ervaring voordat zulke lessen hun plek in iemands hart vonden, en niet meer alleen in hun hoofd.

'Je probeert af te studeren voor je je lessen geleerd hebt,' zei Rose in een poging om Maya op het juiste pad te brengen.

'Maar ik wacht al zo lang op dat leven,' klaagde Maya. 'Ik denk niet dat ik het aankan om er nog langer op te moeten wachten.'

'Maak je daar maar geen zorgen over, liefje. Mensen worden in een oogwenk verliefd, contracten met uitgeverijen worden binnen een dag gesloten en je hebt mensen die in één week vijf kilo zijn afgevallen,' zei Rose. Ze probeerde kleine hints te laten vallen, als hete karamel in koud water. 'Maar het is veel beter als we de dingen die we *echt* willen pas krijgen als we onze levenslessen geleerd hebben.'

'Waar gaan die lessen dan over?' vroeg Maya nieuwsgierig, in de hoop dat de oude dame toch zou uitweiden over geheimen die ze al zo lang wilde ontrafelen.

'Het leven stelt iedereen voor uitdagingen, moeilijke situaties waarvan je denkt dat je ze niet wilt meemaken. Dingen als eenzaam, platzak en te zwaar zijn. Maar mensen verzetten zich zo sterk tegen dat soort dingen dat ze niet zien wat voor geschenken erin schuilgaan.'

'Geschenken?' vroeg Maya ongelovig.

Toen was het Rose duidelijk dat haar eerste instinct juist was geweest. Ze kon Maya nu nog niet al haar levensgeheimen vertellen, simpelweg omdat ze het niet zou geloven. En dan had het helemaal geen zin. Maya's cynisme overstemde alles: haar hoop, haar nieuwsgierigheid, haar verlangen naar een gelukkiger leven. Ze dompelde zich er van top tot teen in onder, en dat mengsel van wantrouwen en gelatenheid legde een sluier over haar geest en blies kleine wolkjes argwanende rook die haar blik vertroebelden.

Het was Rose er helemaal niet om te doen iemand ergens van te overtuigen, maar ze zag een oprechte beminnelijkheid in deze jonge vrouw en besloot het daarom te proberen. Ze zag diep in Maya's uitgeputte blik ook kleine vonkjes hoop, begraven onder jaren van verdriet en teleurstelling, maar die vonkjes deden wel hun uiterste best om op te vlammen. Deze hoop moest Rose eerst zien te wekken, als Maya enige kans op geluk wilde hebben.

'Nou, als je je verdiept in dat soort situaties, in die schijnbare spelingen van het lot, als je op zoek gaat naar de sleutels tot het geluk die ze in zich bergen, dan zou je aanvoelen hoe je je eroverheen kunt zetten én hoe je in de tussentijd gelukkig kunt zijn,' zei Rose.

Maya dacht hier goed over na. 'Ik snap niet hoe de situatie waarin je platzak of te zwaar bent een sleutel tot geluk in zich kan dragen. Ik zou toch gelukkig zijn als die situaties zouden veranderen? Als ik rijk en slank was, zou ik gelukkig zijn. Meer is het niet, volgens mij.'

'Dat ligt er maar aan hoe je dat bereikt,' zei Rose, in de wetenschap dat de meeste mensen juist met die waarheid de meeste moeite hadden. Maar ze wilde haar uiterste best doen om het Maya uit te leggen. 'Zelfs als mensen grote rijkdom vergaren op een manier die ze zelf geweldig vinden, zijn ze meestal niet volledig gelukkig als ze daar niet via de juiste weg gekomen zijn.'

'Volgens mij begrijp ik het niet,' zei Maya. Maar ze werd wel steeds nieuwsgieriger. Ze wilde de geheimen horen die deze vrouw bij zich droeg, tips voor de tevredenheid die ze als kind gekend had, maar die ze nu niet meer kon terughalen.

'Er zijn mensen die alles hebben wat jij zo graag wilt, zonder dat ze er echt gelukkig van worden. Dat komt doordat ze de weg rennend hebben afgelegd, zonder goed te kijken. Ze waren zo gericht op hun doel dat ze voorbijgingen aan de inzichten over oprechte vreugde, de gevoelens van overgave, de mogelijkheden tot medeleven en bovenal de ervaringen die hun hart hadden kunnen openbreken om hen in contact te brengen met God.'

Maya zweeg eventjes, nogal onder de indruk van die woorden. Rose glimlachte even, want ze zag dat haar woorden een klein vonkje in de ogen van Maya lieten opgloeien.

'Maar hoe krijg ik dan wat ik wil?' vroeg Maya. 'Zonder voorbij te gaan aan al die dingen?'

'Nou liefje, deze lessen zijn voor iedereen anders. We dragen allemaal ongeziene gaven met ons mee waar we uitdrukking aan moeten geven, we verbergen allemaal onze eigen unieke wonden die genezing behoeven. Als we ons pad volgen en luisteren naar de lessen van anderen en onze eigen intuïtie, dan geeft het leven ons alles wat we nodig hebben.'

'Echt? En dat gebeurt altijd?' Maya had nu al tien jaar het idee dat ze muurvast zat, en geloofde dit dus niet zo.

'Ja, natuurlijk,' antwoordde Rose met een glimlach. 'Je leven zit op dit moment zó vol prachtige lessen en geschenken dat het me verbaast dat je er niet constant over struikelt.'

'Nou, ik val wel vaak,' lachte Maya. 'Hoe wist u dat?'

Rose keek haar aan met een ondeugende blik. 'Het leven biedt je doorlopend lessen om te leren en geschenken om te verzamelen. Maar als je de hints negeert, word je er straks vanzelf mee om de oren geslagen. En als je ze blijft negeren, zou ik binnenkort maar goed uitkijken dat je geen vallende bakstenen op je hoofd krijgt als je op straat loopt.'

Maya keek geschrokken.

'Wat zijn dat dan voor lessen en geschenken? Kunt u me dat vertellen?'

De jonge vrouw keek met zo'n verwachtingsvolle blik naar haar tafelgenoot, en er lag zoveel hoop in haar stem dat Rose gewoonweg niet kon weigeren, hoe streng de regels ook waren.

Jawel,' zei ze. 'Erbarmen. Moed. Betrokkenheid.'

'Ik begrijp het,' zei Maya, hoewel ze er eigenlijk helemaal niets van begreep. Maar het was vast een goed begin.

'Dat zijn je sleutels. Daarmee open je de deur naar het geluk dat binnen in je wacht.' Rose glimlachte bij het beeld van Maya als een klein schatkistje dat stond te wachten om geopend te worden. 'Zonder die sleutels krijg je de dingen die je hebben wilt misschien wel te pakken, maar dan blijf je onzeker en bang om ze weer kwijt te raken. Dan is je hart afgesneden van je gevoel en ervaar je nooit wat een enorme vreugde er binnen je bereik ligt. Dan heb je alles, terwijl je misschien niets voelt.'

'Nee,' zei Maya snel. 'Dat wil ik niet.'

'Juist. Daarom is het veel beter om zorgvuldig je dromen op te bouwen dan om je er hals over kop in te storten, of ze in je schoot geworpen te krijgen. De magie van het manifesteren is allemaal goed en wel,' waarschuwde Rose, 'maar ervaringen als erbarmen, moed en betrokkenheid zijn van essentieel belang voor een vreugdevol leven. Zonder die dingen zou je je verloren voelen. Je zou een vage pijn in je hart voelen zonder te weten waarom. Op die manier kun je liefde, rijkdom en schoonheid bezitten zonder dat je er gelukkig van wordt.'

Terwijl Maya luisterde ging Rose een beetje verzitten, waarbij ze haar twinset glad trok en haar parelsnoer goed legde.

'Ik weet dat je dit misschien niet wilt horen, liefje,' zei Rose vriendelijk. 'Maar vóór je ook maar één stap verder gaat, is je eerste les dat je moet beseffen dat er niets aan jou mankeert. Dat je inziet dat je helemaal volmaakt bent, precies zoals je bent. Dat is erbarmen.'

Maya deed haar ogen dicht en zuchtte even.

'Probeer het maar eens,' stelde Rose voor. 'Zeg eens dat je alles wat je wilt ook echt verdient.'

Maya opende haar mond. De woorden vormden zich en balanceerden op haar tong, wachtend tot ze zou gaan praten. Maar dat kon ze niet.

'Ik weet niet waarom ik hier zo'n moeite mee heb.'

'Geeft niets. Gewoon nog eens proberen. Zeg het gewoon, ook als je het niet voelt.'

Maya haalde diep adem en trok de woorden vanuit haar buik omhoog. 'Ik verdien een liefdevolle relatie. Ik verdien het om een mooi boek te schrijven en te verkopen. Ik verdien een prachtig lichaam.'

Maya ademde uit met een zucht. Rose kneep eventjes zachtjes in haar hand.

'Goed zo, liefje. En hoe voel je je nu?'

Maya schudde haar hoofd en haalde haar schouders op.

‘Onwaardig en schuldig, maar ik begrijp niet waarom. Volgens mij denk ik... Waarom zou ik moeten krijgen wat ik wil? Wat maakt mij zo bijzonder?’

‘Precies!’ riep Rose plotseling. Ze sloeg haar kleine handje zo hard op tafel dat Maya opsprong van schrik. ‘Zo denken de meeste mensen. En dat is heel jammer, want daardoor krijgen ze nooit alle dingen waar ze zo naar verlangen in het leven.’

Maya knikte. Ze begon langzaam te begrijpen wat Rose haar duidelijk wilde maken. Het was haar nog nooit eerder opgevallen: hoe zwaar het schuldgevoel op haar borst drukte, als een glanzende, zwarte steen. Nu voelde ze ineens niets anders meer. En die steen was zo zwaar dat ze nauwelijks lucht kreeg.

‘Luister,’ zei Rose terwijl ze zich naar Maya toe boog, haar ogen glanzend, samenzweerderig, vol geheimen. ‘Je kunt niet vechten tegen die negatieve ideeën, want ze zijn heel krachtig en worden gedeeld door bijna de hele wereld. Maar je kunt er wel aan voorbijgaan.’

‘Echt waar? Weet u dat zeker?’ vroeg Maya. Ze kon nog steeds niet goed ademhalen en vroeg zich af hoe lang dat zo zou blijven.

‘Absoluut. Als je het maar praktisch aanpakt. Dus ga je niet afvragen of je het nu wel of niet verdient om gelukkig te worden,’ zei Rose. ‘Je moet gewoon wéten dat je gelukkig móet zijn, omdat dat beter is voor de rest van de wereld. Dat is het enige wat telt.’

‘Hoe bedoelt u?’

‘Iedereen op deze aarde moet gelukkig zijn. Dat is geen

egoïstische impuls. Iedereen is het gewoon verplicht aan de rest van de mensheid.'

'Is dat zo?'

'Jazeker,' zei Rose. 'Als je gelukkig bent, verlicht je degenen om je heen en zo maak je de wereld een prettigere plek om te leven. Maar als je ongelukkig bent, verspreid je dat ongelukkige gevoel. Dat wil je misschien helemaal niet, maar je kunt er niets aan doen. Je verdriet sijpelt uit jou weg en dringt door tot iedereen om je heen. En daar kun je niets tegen doen.'

Maya knikte. Dat kon ze begrijpen.

'Om te wereld te verlichten, moet je eerst zorgen dat je zelf gelukkig wordt.'

Maya zweeg.

'Wil je dat?'

Maya knikte aarzelend. Ze kon het bijna niet toegeven. Ze voelde de tranen weer prikken en haar adem stokte in haar keel. De oude vrouw keek naar Maya tot de tranen over haar wangen biggelden. Toen stond Rose langzaam en stilletjes op en ging naast haar zitten. Maya huilde terwijl Rose haar vasthield, knuffelde en zachtjes wiegde.

'Je moet jezelf gewoon vergeven,' fluisterde Rose. 'Meer is het niet. Vergeef jezelf alles. De enige manier om andere mensen niet langer te kwetsen, is jezelf niet langer te kwetsen.'

Terwijl tot haar doordrong hoe waar die woorden waren, snikte Maya verder. Ze snikte om alle pijn die ze anderen ooit had aangedaan en alle pijn die ze zichzelf ooit had aangedaan. De keren dat ze tegen haar moeder was uitgevallen omdat ze liever wilde buitenspelen in plaats van klanten helpen, de harde woorden die ze soms had uitgeschreeuwd en de leugens die ze had verteld. Die herinneringen, vermengd met vele andere, stapelden zich op en ontlaadden zich in Maya's snikken.

Boven alles huilde Maya om de vele miljoenen keren dat ze zichzelf vreselijk behandeld had. Ze huilde om al die schampere opmerkingen, de bijtende kritiek, om elke keer dat ze in de spiegel had gekeken en had gebaald van wat ze daar zag.

Rose knuffelde haar. Ze streelde Maya's haar en zei dat alles goed zou komen, dat we allemaal anderen kwetsen, maar dat we allemaal onschuldig zijn in ons verdriet. Want als we ons op de een of andere manier beter zouden kunnen gedragen, als we liefde in ons hart konden vinden in plaats van haat, dan zouden we het wel doen.

Langzaamaan, in alle rust, werd Maya's schuldgevoel weggespoeld door haar tranen. Ten slotte haalde ze diep adem, droogde haar tranen en keek naar Rose.

'Zo heb ik in geen tijden gehuild. En zo heeft niemand me vastgehouden sinds...'

'Ik weet het, liefje,' zei Rose zachtjes. 'Ik weet het.'

Rose stond op de stoep en Maya leunde tegen de deur. Ze zag haar met tegenzin vertrekken. De oude vrouw stak haar de hand toe en Maya nam die stevig in de hare.

'Het komt wel goed met jou.' grinnikte Rose. 'Sterker nog, het wordt geweldig. Dit is de eerste stap van jouw zoektocht. Je begint je hart te openen. Nu kun je ook de waarheid gaan zien, wie je werkelijk bent.'

Maya grijnsde en liet de hand van Rose los terwijl ze de straat op stapte. Ze zag Rose weglopen en aan het einde van de straat nog een keer omdraaien en zwaaien. Maya grijnsde en zwaaide terug. Ze had zich in tijden niet zo licht en vrolijk gevoeld.

Voor Maya was elke avond eigenlijk hetzelfde. Ze sloot het koffiehuis om zes uur, zette vast wat dingen klaar voor de volgende dag; dan liep ze naar Flicks, de videotheek verderop in de straat, voor een film waar ze zich helemaal in kon verliezen. Naast chocola en dagdromen waren ook films voor Maya een soort drug om de pijn van het leven te verdoven. En ze ging naar deze videotheek vanwege Tim, de jongen achter de toonbank, die met haar praatte en flirtte terwijl ze haar keus voor die avond bepaalde.

Maya viel niet echt op Tim. Ze beschouwde hem eerder als een vriend dan als een potentieel 'vriendje', maar toch gaf het flirten haar lusteloze ego een welkome en broodnodige oppepper. Tim kreeg het voor elkaar om Maya het gevoel te geven dat ze mooi en begeerlijk was, hoe ze op dat moment ook in haar vel zat. De manier waarop hij naar haar keek, met steelse bewonderende blikken, de manier waarop hij haar aansprak, vriendelijk en uiterst geïnteresseerd, deden Maya altijd goed. Sterker nog, naast de klandizie van Jake was het contact met Tim het hoogtepunt van Maya's dag.

Soms, als ze zich heel erg eenzaam voelde, overwoog Maya wel eens om het te proberen met Tim. Maar dan hield ze zich in, met superieure zelfbeheersing, want ze vermoedde dat hij echt om haar gaf en wilde hem niet kwetsen.

Maya gaf Tim taartjes in ruil voor video's en lette goed

op zijn reactie om erachter te komen wat hij het lekkerste vond. Hij zei altijd dat hij ze allemaal even lekker vond, maar Maya merkte wel wanneer hij het echt meende. Na hun afscheid ging Maya terug naar haar woonverdieping om op de bank volledig op te gaan in een film terwijl ze zich langzaam maar zeker een weg at door een bak toffee-ijs met een sloot chocoladesaus.

Maar vanavond ging het anders. Maya had geen zin in een film. Ze was veel te opgewonden over het leven om haar heen om haar tijd te verdoen met fictie. Voor het eerst in jaren wilde ze niet dromen; ze wilde voelen.

Dus toen Maya de deur van het koffiehuis achter zich had dichtgetrokken, bleef ze gewoon doorlopen. Zachtjes streelde de zwoele septemberbries haar huid. Maya realiseerde zich dat het al een paar weken dit weer was, maar pas nu merkte ze hoe heerlijk het voelde om rond te lopen op een avond in de late zomer. Nu pas zag Maya hoe het licht viel in het magische schemeruurtje, hoe het zachte zonlicht haar huid raakte, zodat het als een omhelzing voelde. Ze sloot haar ogen terwijl de wind om haar heen speelde en haar uitnodigde om te bewegen, om te dansen.

Maya grijnsde, plotseling zo vol van vreugde alsof ze een of ander bijzonder mooi geheim ontsluierd had waarvan ze altijd al had gehoopt dat het waar zou zijn.

Aan het einde van de straat sloeg Maya af in de richting van het park. Het werd omzoomd door bladerrijke bomen, bossen wilde bloemen en onkruid vochten om ruimte op de grond. Maya liep door het doorgeschoten gras en besefte dat ze zich niet eens kon herinneren wanneer ze voor het laatst in de natuur geweest was. Toen ze bij een oude eikenboom aankwam, zocht ze een zacht plekje om te zitten en nestelde zich daar.

Het park was verlaten. Het was windstil. Maya verzonk in een diepe rust. Haar geest was stil en haar hart vol. Terwijl ze daar zat, niets meer dan ademhalend, haalde ze zich Rose voor de geest. Ze wilde de herinnering terug, voelen dat ze er nog was.

Er gebeurde nooit iets magisch met Maya, maar nu was het toch zover. Ze herinnerde zich dat ze Rose in eerste instantie had afgewezen, en als de oude vrouw niet zo vasthoudend was geweest, was ze de hele ervaring misgelopen. Op dat moment bedacht Maya dat ze misschien eens wat vaker moest opkijken; als ze mensen daadwerkelijk in de ogen zou kijken, wachtte haar misschien nog veel meer magie.

In de stilte werd Maya zich sterk bewust van de rust in haar en om haar heen. Op dat moment wist ze dat dít het ware leven was, en dat alle gedoe en herrie die eroverheen kwamen alleen maar veroorzaakt werden door mensen die verlangden naar rust, maar niet wisten waar ze die konden vinden.

Maya moest lachen om de absurde, schijnbaar onmogelijke eenvoud van dat idee. Terwijl haar lach wegzweefde door de lucht hoorde ze een stem, woorden die vanuit haar ziel leken te komen.

'De wonderen van het leven zijn overal,' zei de stem. 'Je moet alleen soms wat beter kijken.'

Maya glimlachte en leunde tegen de boom, soms zachtjes neuriënd, dan weer stil, tot de zon onderging.

Toen Maya haar woning binnenstapte, kwam haar kat Donut aanrennen. Ze draaide spinnend rond haar benen. Maya giechelde en Donut keek verrast op. Zo lachte Maya niet vaak.

Maya bukte zich om de kat op te tillen en liep de keuken in.

'Was je ongerust, bollie? Was je bang dat ik de weg kwijt was?'

Ze zette Donut neer op het aanrecht en trok de kasten open op zoek naar tonijn.

'Nou, dat had je goed gezien,' babbelde Maya verder terwijl de kat haar aankeek. 'Ik was de weg ook kwijt. Echt kwijt. En nu krijg ik eindelijk weer het idee dat ik op het juiste pad ben.'

Maya zette het schaaltje tonijn op de grond en keek toe hoe Donut op haar eten aanviel. 'Je hebt geen idee waar ik het over heb, hè? Tevredenheid en plezier zitten er bij jou ingebouwd.'

Maya's blik gleed langs Donuts zwiepende staart naar de koektrommel. Dat was normaal gesproken haar eerste halte: een paar chocoladekoekjes, een paar boterhammen, om daarna aan haar ijs te beginnen. Meestal at ze haar koekjes terwijl ze het brood in de broodrooster deed, dan liep ze al kauwend door haar huis en kleedde zich op weg naar de slaapkamer alvast uit om daar een slobberpyjama aan te trekken.

Maya deed haar oversize pyjama altijd aan met een zekere opluchting. Ze werd niet meer bekeken. Ze kon in de bank wegzakken, kleine vetrolletjes wegstoppen onder slobberende stof en lekker dooreten zonder dat ze het gevoel had dat ze elk moment uit haar kleren kon knappen. Natuurlijk werkte die truc niet echt en diep vanbinnen baalde Maya net zo erg van haar lichaam als wanneer ze zich in een strakke leren hotpants had proberen te wringen.

Maya's blik gleed over de ronding van haar buik, toen terug naar de koektrommel. Ze merkte opgelucht, en nogal verrast, dat ze eigenlijk geen zin had om iets te eten. Ze had niet eens echt honger, hoewel ze sinds de lunch niets gegeten had. Maar dat was het nog niet eens. Ze voelde zich voldaan. Niet met eten, maar met iets anders. Een gevoel van tevredenheid, van vreugde. Er borrelden opgewonden emoties in haar omhoog en daarbovenop was niet veel ruimte meer voor eten.

Maya grijnsde van pure blijdschap. Het was alsof ze aan het begin van een groot avontuur stond. Ze wist niet wat er zou gaan gebeuren. Ze wist niet wat ze zou gaan doen. Het leek wel of al die gevoelens die ze altijd wegdrukte met eten nu ineens de vrije loop kregen.

En tot Maya's grote verrassing en vreugde had ze niet het idee dat ze elk moment overmand kon worden door verdriet. Het leek wel alsof Rose haar daarvan verlost had, en alsof daaronder haar opwinding, haar passie, haar vreugde schuilgegaan waren. Maya danste lachend rond in de keuken.

Donut likte het laatste beetje tonijn op en keek omhoog. Toen ging de telefoon. Maya stopte met draaien. Het was best laat en zo vaak werd ze niet gebeld. Heel even dacht Maya dat er een wonder was gebeurd en dat het Jake was, dat hij haar eindelijk belde om haar mee uit te vragen. Maar ze sprak zichzelf streng toe dat ze niet zo stom moest doen, want hij had haar nummer niet eens.

'Oh,' zei Maya, want ze realiseerde zich dat ze zichzelf zojuist bekritiseerd had. Een misstap die zo vaak voorkwam dat ze het normaal gesproken niet eens gemerkt zou hebben. Maar met haar nieuwe erbarmen leek het ineens niet meer te kloppen.

'Het spijt me,' zei Maya tegen zichzelf terwijl ze de telefoon opnam.

Het was haar maffe nicht Faith. Maya deed haar best om haar teleurstelling niet te laten horen.

'Hoi May,' zei Faith zoals altijd. 'Zit je?'

'Nee, is dat nodig dan?'

'Ja, absoluut.'

Maya bleef staan. 'Oké, ik zit.'

'Niet waar.'

Maya keek bedenkelijk. 'Hoe wist je dat?'

'Ik ben net bij een medium geweest. Mijn zesde zintuig staat op scherp.'

Maya lachte en ging op de bank zitten.

'Oké dan. En?'

'En het was echt geweldig.'

Maya glimlachte, totaal niet verrast.

'Nee,' zei Faith, die haar hoorde glimlachen. 'Deze keer was het anders. Deze vrouw is het echte werk.'

Faith ging altijd naar mediums, genezers, handlezers en astrologen. Ze vond dat soort dingen fascinerend. Maar Maya had er nooit in geloofd en hoewel ze het nooit tegen Faith zou zeggen, vond ze het eigenlijk allemaal oplichterij. Als Maya ergens in geloofde, was het psychologie, theorie, analyse: alles waar ze bewijzen voor had en wat ze verstandelijk kon begrijpen. Maar ze luisterde wel als Faith erover vertelde en had zich zelfs een keer naar een astroloog laten slepen, maar alleen omdat ze dol was op Faith en haar graag wilde steunen.

Faith had ook niets. Geen man. Geen geld. Geen redelijke hoop dat daar ooit verandering in zou komen. Maar om de een of andere vreemde reden was ze altijd een stuk gelukkiger met haar situatie dan Maya.

'Nou, vertel eens over dat medium.'

'Sophie.'

'Wat een rare naam voor een medium.'

'Wat had je dan verwacht? Crystal?'

'Dat lijkt me wel wat toepasselijker,' glimlachte Maya.

'Hou je kop,' zei Faith. 'Ik ben gisteren bij haar geweest en ze was gewoon geweldig. Ze vertelde me dingen over mezelf die ik zelf niet eens wist. En gekke kleine details die ze met geen mogelijkheid kon weten.'

'Zoals?'

'Zoals die keer dat ik met Phoenix naar die Godinnen-workshop ging, in Glastonbury.'

'Waar je in je blootje rond een kampvuur hebt gedanst?'

'Ja, precies.'

Ze moesten allebei lachen.

'Maar het ging dieper. Het leek gewoon alsof ze het *wist*.'

'Alsof ze wát wist?'

'Alles. Mijn bezoek aan haar was een mystieke ervaring. Haar energie was gewoon ongelooflijk, alsof ze alle geheimen van het universum had ontrafeld en in haar hart gesloten had.'

Maya glimlachte, ineens vond ze het gesprek intrigerend.

'Ze was zo kalm, zo tevreden. Ik geloof niet dat ik ooit een gelukkiger mens heb ontmoet. En ze zei dat ik het in me had om ook zo te worden.'

'Werkelijk?'

'Ja, nou ja, ze zei dat iedereen dat in zich heeft. Ze vertelde dat ze op een bepaald moment op een berg in de woestijn in Arizona stond en dat ze het toen besefte.'

'Wat?'

'Dat we ons eigen leven vormen.' Faith deed haar best om de woorden van Sophie terug te halen. 'Het was de vroege ochtend van haar eenentwintigste verjaardag. De woestijn was stil en leeg. Toen de zon opkwam, voelde ze de roes van de energie van alles om haar heen. En ze had het overweldigende gevoel dat ze met alles verbonden was, en met God. Toen hoorde ze een stem.'

'Echt waar?' Maya huiverde. 'En wat zei die stem?'

'Wacht even, ik heb het opgeschreven.'

Maya wachtte terwijl ze Faith hoorde rondscharrelen.

'Oké,' begon Faith. 'De stem zei: wat er ook in je verleden is gebeurd, je hebt vanaf nu de keuze uit twee levens. Aan de ene kant is er een leven waarin je je afgesloten voelt van de wereld, stuurloos en overgeleverd aan je omstandigheden. Je bent pessimistisch over je leven en bang voor wat er komen gaat. Je wilt bepaalde dingen, maar hebt geen idee hoe je ze kunt bereiken. En zelfs als je veel hebt, voel je je toch alleen, met een hunkering diep in je ziel.'

Maya zuchtte, de tranen sprongen in haar ogen. Die situatie kende ze maar al te goed. Zo had ze het grootste deel van haar leven doorgebracht.

Faith voelde aan hoe verdrietig ze was. 'Rustig maar,' zei ze. 'Het wordt beter.'

'O, gelukkig maar.'

'Aan de andere kant,' vervolgde Faith, 'is er een leven waarin je ondanks alle tegenslagen toch contact kunt blijven houden met jezelf en je kern. Je begrijpt het ritme van het leven. Je hebt alles wat je wilt en precies wat je nodig hebt. Je voelt vreugde, opwinding en optimisme en kijkt uit naar wat er komen gaat. En daaronder ligt een diepe tevredenheid. Je voelt je compleet.'

Maya zuchtte opgelucht. Dit deed haar denken aan Rose. Maya wist dat ze zonder haar ontmoeting met de oude dame nu waarschijnlijk geen oren had gehad naar het verhaal van Faith.

'Maar hoe pak ik dat dan aan? Hoe kan ik op die manier leven?'

'Misschien moet je eens bij Sophie langs.'

'Ja hoor, leuk geprobeerd.'

'Ik meen het,' zei Faith. 'Ik kan het niet uitleggen. Je moet het meemaken. Je moet naar haar toe.'

'Wat zei ze verder nog?'

'Dat je op ieder gewenst moment vreugde in jezelf kunt brengen. Dat het altijd voor het oprapen ligt. We hebben het ooit gekend; we voelden het, we lachten, we leefden, tot we het kwijtraakten aan de angst en de twijfel die ons omringt,' zei Faith, die zich elk woord had ingeprent. 'En de mogelijkheid om het weer te voelen schuilt in ieder moment, in iedereen. Zoals het ook op jou wacht.'

Maya was stil. Toen zuchtte ze.

'Maar zo simpel is het toch niet om zo te leven? Ik bedoel maar, ik wou dat ik een man had die...'

'Je bedoelt Jake zeker?' onderbrak Faith haar. 'Oké, dan zal ik je iets vertellen wat Sophie mij verteld heeft. Ze zei dat ik in mijn leven vaak verliefd zal worden en dat ik me misschien nooit zal settelen, maar dat ik me er geen zorgen over moet maken. Als ik de liefde omarm zonder dat ik probeer aan de verwachtingen van de maatschappij te voldoen, dan zal ik het ware geluk vinden.'

'Oké, dat is een mooi idee,' bedacht Maya. 'Maar zit je er dan niet mee dat je misschien geen relatie krijgt die de rest van je leven duurt?'

'Nou, eigenlijk vind ik het bevrijdend om niet meer mijn best te hoeven doen voor het ultieme sprookje. Dat is een opluchting. Geen mannen meer hoeven vangen, vasthouden en proberen te veranderen. Nu ik dat allemaal kan loslaten, kan ik gewoon van ze houden.'

Maya zuchtte diep en wentelde zich even in de heerlijkheid van deze optie.

'Sophie zei dat ik het in me heb om contact te maken met de bron van de universele liefde, met de stroom van het leven,' vervolgde Faith. 'En als ik dat doe, zal ik meer liefde voelen dan ooit in mijn leven. En dan zal ik eindelijk vrij zijn. Hé, ik denk dat ik ook naar Arizona ga. Je mag best mee. Dat lijkt me fantastisch!'

'Ik zou ook wel vrij willen zijn,' zuchtte Maya weer, maar ze ging niet in op het wilde plan van Faith. 'Ik bedoel, ik wil een relatie die eeuwig standhoudt. Maar ik wou dat ik me kon bevrijden van die noodzaak.'

'Precies. Dat vond ik dus ook.'

'Ik wou dat ik mijn totale obsessie met Jake kon loslaten. En dat niet alleen; ik heb het helemaal gehad met het koffiehuis. Ik kan er nauwelijks van rondkomen...'

'Dat komt doordat je hart daar niet ligt.'

'Dat weet ik, en ik wil iets doen waar mijn hart wél ligt. Ik wil schrijven.'

'Je kunt best schrijven,' zei Faith, die graag zou zien dat haar nicht zo nu en dan de dag zou plukken. 'Schrijf dan als je geen klanten hebt, schrijf na je werk.'

Donut sprong bij Maya op schoot en nestelde zich.

'Dat weet ik wel. Maar daar ben ik te narrig voor. Zoals ik me nu voel, kan ik niets schrijven met enige bezieling.'

'Dus zit je jezelf thuis te troosten met chocoladetaart en ijs en je gaat balend van jezelf en je leven naar bed,' zei Faith.

'Ja,' gaf Maya toe.

'Je moet echt eens bij haar langs.'

'Ik weet het niet, hoor.'

Maya had geen zin om weer iets onzinnigs mee te maken. Maar ergens diep vanbinnen had een verschuiving plaatsgevonden. De ervaring met Rose had haar iets opener gemaakt, waardoor ze toch wel nieuwsgierig geraakt was naar dingen die ze eerder van tafel had geveegd.

'Als ze je kan helpen, moet je het toch eigenlijk proberen?' hield Faith aan. 'Je hoeft er helemaal niet in te geloven. Sophie is geweldig, of je nu in haar gelooft of niet. En trouwens, wat is honderdvijftig pond nou helemaal als je het grote plaatje bekijkt?'

'Honderdvijftig pond! Meen je dat nou?'

'Zeg, dat is niets, hoor. Hoe denk je dat Jake ooit voor je zal vallen als je jezelf niet eens honderdvijftig pond waard vindt? Vind je niet dat je zo'n kleine investering verdient?'

Als Faith dat woord niet had gebruikt, was het misschien heel anders gelopen. Maar Rose had ook gezegd dat ze moest geloven dat ze verdiende wat ze wilde hebben en dat was blijven hangen. En als Sophie haar werkelijk kon helpen om gelukkiger te leven, was ze het haar klanten, Faith, Tim, iedereen om haar heen verplicht om het te proberen.

'Misschien...' zei Maya aarzelend.

'Heel goed. Dan maak ik een afspraak voor je.'

'Wacht even. Ik wil erover nadenken.'

Maar het was te laat. Faith had al opgehangen.

Het was 1 oktober. De dag voor Maya's afspraak met het medium. De herinnering aan Rose was intussen wat vervaagd, en Maya had het gevoel dat het leven weer zijn gewone gangetje ging. Maar toch was er iets. Maya voelde zich een beetje anders, hoewel ze er niet precies de vinger op kon leggen wát er dan anders was.

Rond lunchtijd, toen ze net dreigde te zwichten voor een stuk abrikozengebak en vijftien chocolade-pruimentruffels, besefte Maya wat ze voelde. Hoop. Ze voelde zich hoopvol. Dat opgewonden gevoel in haar buik was hoop. Rose had toch iets teweeggebracht. Het optimisme waarover ze had gesproken, die openheid, dat was nu deel van Maya en ze kon het gelukkig niet wegdrukken.

Dat zat Maya dwars, omdat ze al wist dat er op hoop altijd teleurstelling volgt. En ze had genoeg teleurstelling gekend om er een heel leven mee voort te kunnen. Dus ze besloot het uit haar hoofd te zetten, want haar taille kon echt geen teleurstellingsgebak meer gebruiken.

In een poging om haar buik te redden, probeerde Maya haar hoop de kop in te drukken. Ze richtte haar blik op de laatste paar truffels en concentreerde zich op het pijnlijke schuldgevoel en de walging die ze voelde omdat ze er al zoveel gegeten had. Binnen een paar seconden wist Maya alle hoop de kop in te drukken en voelde ze zich rot, machteloos en vol zelfhaat. Maya zuchtte, veegde de toonbank schoon en ging naar de stapel vuile vaat in de gootsteen.

Maar tot haar eigen verrassing was het gevoel van hoop terug tegen de tijd dat ze de suikerpotten aan het opruimen was. En hoeveel zelfkritiek ze er ook op losliet, het wist van geen wijken.

Uiteindelijk liet Maya het maar gewoon diep vanbinnen op en neer dansen en ging verder met haar dag. En dat was maar goed ook, want de dag daarop zou haar leven voorgoed veranderen.

Maya liep langzaam over straat en probeerde het moment nog wat uit te stellen. Ze zag iets verderop al waar ze moest zijn en keek de aanwijzingen van Faith er nog eens op na. Maya bleef staan en overwoog heel even om terug te gaan. Maar ze wist dat dat nu niet meer kon; ze was veel te nieuwsgierig. Het hart dat Rose had geholpen, stond nog steeds open. Optimisme borrelde in haar omhoog en daar kon ze heel weinig aan doen.

Maya liep naar het opgegeven adres en keek omhoog naar de deur. SOPHIE HET MEDIUM stond er op een fel paars uithangbord dat zachtjes heen en weer zwaaide in de wind.

Maya keek zorgelijk, ze voelde zich volslagen belachelijk. Ze was nog nooit zover gegaan in haar zoektocht naar geluk en eigenlijk vond ze het nogal gênant. Ze vervloekte het feit dat ze blijkbaar zó wanhopig op zoek was naar liefde, rijkdom en het volmaakte lichaam dat ze een medium ging raadplegen.

Maya was doortrokken van cynisme; ze was ermee opgegroeid en had bijna haar hele leven alles vanuit dat oogpunt gezien. Het was moeilijk om dat los te laten. Ze stond op de stoep en moest ineens aan haar vader denken. Maya was niet met hem opgegroeid, maar hij had zijn eigen kleine rol in haar leven gespeeld. Het was een zorgzame, nadenkende man; een academicus die afkeurend stond tegenover alles wat meer te maken had met geloof dan met feiten. Hij zou het vreselijk gevonden hebben om Maya nu hier te zien.

Maar aangezien Maya hem waarschijnlijk nooit meer zou zien en bovendien totaal niet van plan was om het hier over te hebben áls ze hem ooit nog zou zien, was dat niet echt een probleem. Het probleem was eerder de gedachten die haar bekropen zodra de deur openging.

Toen Maya Sophie voor het eerst zag, werd haar meest cynische, bevooroordeelde, sceptische angst bewaarheid. Sophie was van top tot teen gehuld in een wijd paars gewaad, een fluwelen verschijning in een violette deuropening. Het was precies wat Maya had verwacht van een verknipte charlatan die goedgelovige, wanhopige vrouwen probeerde aan te praten dat ze hun toekomst kon voorspellen.

Verder was Sophie mooi, met lange bruine krullen, een lief gezicht en een weelderig figuur. Maar Maya zag alleen het paarse gewaad.

'Hallo. Welkom.' Sophie's glimlach was vrolijk, puur en oprecht. Hierdoor voelde Maya zich iets meer op haar gemak. Ondanks haar gêne glimlachte ze zwakjes terug en mompelde een bedankje.

Toen Maya binnenkwam, werd het er niet beter op. Het leek wel een kant-en-klaar mediumhuis uit een postordergids. Alles was kleurig: rode muren, gele muren, blauwe en groene muren. Esoterische foto's versterkten het regenboogeffect, de trap was versierd met feestverlichting en de suikerzoete tonen van een fluit zweefden door de lucht.

Maya deed haar schoenen uit bij de deur en zakte diep weg in het luxueuze roodbruine tapijt. Wat je ook van Sophie's smaak kon zeggen, ze zat in elk geval niet krap bij kas. Sophie liep de trap op en Maya volgde haar, en had met elke stap meer twijfels over haar komst.

Terwijl ze de werkkamer van Sophie binnenliepen, zag Maya tot haar verrassing en opluchting dat die niet al te uitzinnig was ingericht. Het roodbruine tapijt maakte plaats voor roomwit, en rood kwam alleen nog terug in de fluwelen gordijnen bij de grote ramen die uitkeken op de tuin. Er glinsterde wat feestverlichting in de hoek en er lag een aantal edelstenen op tafel. Gelukkig was er geen kristallen bol te bekennen.

Maya aarzelde in de deuropening, en keek naar de twee lege stoelen bij de tafel. Sophie ging zitten en wachtte af. Even later voegde Maya zich bij haar.

'Goed,' zei Sophie opgewekt. 'Vertel me maar eens waarom je hier bent.'

Maya schrok terug. Ze had eerst een inleidend babbeltje verwacht over het weer, of de prijs van kristallen bollen. Ze wist niet goed wat ze moest zeggen. Of nee, niet waar. Ze wist precies wat ze moest zeggen, maar ze wilde het niet zeggen. Sophie keek haar geduldig aan. Ze was duidelijk niet van de koetjes en kalfjes.

'Nou, ik... eh,' hakkelde Maya schoorvoetend. 'Oké, ik ben hier omdat ik niet echt gelukkig ben met mijn leven zoals het nu is. Mijn nicht Faith is hier pas geweest. En het klonk prachtig, wat je allemaal tegen haar gezegd hebt. Dus toen vond ik dat ik zelf maar eens moest komen om te zien wat je tegen mij zou zeggen.'

'Op die manier. En wat zou je willen veranderen aan je leven?'

Maya haalde haar schouders op, maar Sophie zei niets.

'Goed dan.' Maya schoof ongemakkelijk heen en weer op haar stoel. 'Ik wil een vriend. Ik wil schrijver worden. Ik wil tien kilo afvallen. En ik wil weten of dat in de toekomst gaat gebeuren.'

'We zien vanzelf wat er komt,' glimlachte Sophie. 'Maar ik kan je jouw toekomst niet laten zien, want je creëert je eigen toekomst. Ik kan je alleen helpen om een duidelijker beeld van jezelf te krijgen, om te weten hoe je kunt krijgen wat je wilt. Is dat goed?'

Maya knikte opgewonden. 'Ja, dat is prima. Je gaf Faith advies over hoe ze de kansen in haar toekomst kan benutten. Daar hoopte ik eigenlijk ook op.'

Sophie stond op en liep door de kamer. Ze ging naar een kast die vol stond met rijen kristallen in allerlei maten, vormen en kleuren. Sophie keek er peinzend naar. Toen deed ze haar ogen dicht, ging met haar handen boven de kristallen heen en weer en koos er eentje uit.

Maya keek Sophia argwanend aan terwijl ze weer terugliep. Ze zag dat Sophie iets in haar hand had wat klein en roze was. Het was dan misschien geen kristallen bol, maar het scheelde niet veel.

Sophie ging zitten. Ze keek Maya indringend aan; haar donkerbruine ogen nu wijd open en fonkelend. Maya verschoof wat ongemakkelijk en hield haar adem in. Ze had het idee dat Sophie misschien meer kon zien dan Maya eigenlijk wilde. Toen deed Sophie haar ogen dicht en Maya ademde uit. Even later deed Sophie haar ogen weer open en legde het kristal op tafel.

'Luister,' begon ze. 'Je hoeft je niet te schamen voor de dingen die ik zie. Het feit dat je met problemen te maken hebt, wil niet zeggen dat er iets mis is met jou. We hebben allemaal wel dingen die we moeten overwinnen. Het is jouw pad en het is volmaakt.'

Maya knikte een beetje nerveus. Sophie keek haar indringend aan, nam haar karakter zorgvuldig in ogenschouw, onderwierp haar verleden aan een uitgebreid onderzoek, overpeinsde haar heden en wierp een blik op haar toekomst om ten slotte tot een conclusie te komen.

'Je zult het geluk ontdekken,' zei Sophie, 'als je de moed vindt om je veiligheid op te geven en te kiezen voor een leven waarin je trouw bent aan jezelf.'

Maya haalde diep adem. Deze onthulling was opwindend en angstaanjagend tegelijk. Ze vond het schokkend dat Sophie precies de twee dingen had benoemd die haar leven bepaalden: haar angsten en haar dromen. Bijna voor het eerst in haar leven had ze het gevoel dat iemand haar werkelijk zag.

'Wat bedoel je met "trouw"?' vroeg Maya zachtjes.

'Trouw aan jezelf zijn wil zeggen dat je risico's neemt om de dingen die je wilt mogelijk te maken, bijvoorbeeld schrijver worden.'

Maya ging rechtop zitten, vroeg zich af hoe Sophie dat

in vredesnaam kon weten. Ze was nu klaar om elk woord aandachtig in zich op te nemen.

'Je moet niet op zoek zijn naar liefde of goedkeuring van anderen, of succes in de buitenwereld,' zei Sophie. 'Trouw aan jezelf zijn is dingen doen omdat ze je na aan het hart liggen en je er wel uitdrukking aan móét geven. Dus je moet je geen zorgen maken of je een groot schrijver wordt of niet, want daar gaat het niet om. Als je trouw bent aan jezelf, ben je niet bezig met succes of mislukking. Je doet het omdat het goed voelt. Omdat je niet anders kunt.'

Zo irrationeel had Maya het leven nog nooit bekeken. Voor haar was de kans op succes een wezenlijke overweging om iets al dan niet te doen. Daarom was ze nooit verder gegaan met schrijven.

'Als je je leven laat bepalen door je rationele gedachten, blijf je altijd vastzitten in een klein, ogenschijnlijk veilig leventje. Maar als je trouw aan jezelf bent, zal de wereld voor je opengaan. En dan hoef je niet meer te raden wat de toekomst zal brengen, omdat je weet dat het hoe dan ook een schitterend avontuur zal worden.' Sophie wreef het roze kristal op met haar fluwelen mouw, om het op te warmen. 'Als je je hart volgt, kunnen er de wonderbaarlijkste dingen gebeuren.'

Terwijl Sophie's woorden langzaam tot Maya doordrongen, besefte ze dat het misschien eng leek, maar dat zo'n manier van leven wel geweldig klonk. Ze was het zat om beslissingen te nemen op basis van wat er misschien zou gaan gebeuren, terwijl ze daar eigenlijk geen idee van had. Dat zorgde er alleen maar voor dat ze geen enkele kans greep, dat ze altijd bang was dat er iets misging. Het waren jaren vol bekrompenheid, verkramping, angst en eeuwige teleurstelling. Het was meer dood dan leven.

'Je zou er je mantra van kunnen maken,' stelde Sophie voor. 'Leef niet veilig, leef trouw.'

'Ja,' grijnsde Maya. 'Dat klinkt prachtig.'

Sophie glimlachte. Toen keek ze plotseling ernstig en boog zich naar Maya.

'Maar er is één ding dat je goed moet begrijpen voor je ooit kunt krijgen wat je wilt in het leven.' Ze stak haar handen in haar zakken en haalde twee kristallen tevoorschijn, het ene wit, het andere zwart. 'Zolang je dit niet begrijpt, zul je bij elke stap vooruit altijd twee stappen achteruit gaan.'

Maya staarde haar aan, benieuwd hoe ze dat kon voorkomen.

'Je hebt twee krachten in je,' zei Sophie zachtjes, terwijl ze het gitzwarte kristal omhoog hield. 'De ene wordt belichaamd door je verstand. Die vervult je met angst en twijfel en zorgt dat je leven wordt bepaald door rationaliteit, zorgen en schuldgevoel. Het verstand wil je een leven opleggen dat veilig is, routinematig, normaal, vastgeroest en saai. Het wil een gewoon leven. En als je ernaar luistert, zal het je al die dingen brengen.'

'Oh...' zuchtte Maya, want ze wist maar al te goed dat dat de kracht was die haar leven op dit moment bepaalde.

Sophie hield het heldere witte kristal op. 'Maar de andere kracht wordt belichaamd door je hart. Die kracht vervult je met rust en gelukzaligheid, en brengt vervulling en bevrediging in je leven. Het hart wil al het goede voor je: liefde, rijkdom en vreugde. Het wil een buitengewoon leven.

En als je het toestaat, zal het je al die dingen brengen.'

'Echt waar? Hoe dan?'

'Heb je nooit met je hart gesproken?' vroeg Sophie verrast. 'Dat moet je echt eens proberen. Het is heerlijk.' Ze glimlachte en zuchtte tevreden, alsof ze zich iets heel magisch herinnerde.

'En?' zei Sophie. 'Naar welke van de twee luister jij?'

Maya zuchtte en Sophie knikte.

Een half uur later nipte Maya van een vreemd smakend, maar gek genoeg troostrijk kopje kruidenthee, en knabbelde ze tevreden op zelfgemaakte gemberkoekjes. Ze had allang besloten dat ze Sophie ontzettend graag mocht. Dit was de kers op de taart.

Sophie zat op de bank, diep weggezonken in de kussens, verdere wijsheden prijs te geven terwijl ze koekjes in haar thee sopte. Ze had haar gewaad uitgetrokken en droeg nu heel gewoon een wit T-shirt en een spijkerbroek.

Maya bedacht tot haar verrassing dat de verkleding haar een beetje teleurstelde. Het gewaad was dan wel een beetje cliché, maar het was wel leuk en in al zijn pracht en praal zeker toepasselijk.

Maya zat in kleermakerszit op het hoogpolige tapijt en keek tussen de slokjes thee en hapjes koek op naar Sophie om aan te geven dat ze bij de les was.

'Je kunt alles krijgen wat je wilt,' zei Sophie. 'Maar het is wel beter als het in de juiste volgorde gaat.'

Het schoot Maya te binnen dat Rose ook al zoiets had gezegd en ze wilde graag wat meer uitleg. 'Bestaat er een juiste volgorde?'

'Jawel. Maar die is voor iedereen verschillend, natuurlijk.' Sophie legde een koekje op de rand van haar schoteltje en keek Maya even aan. 'Ik zie dat jij eerst je hartenwens met je werk moet vervullen voor je verliefd wordt.'

'Hoezo?' vroeg Maya lichtelijk geïrriteerd.

'Nou, het is altijd beter als je je eigen doel bereikt hebt vóór je op zoek gaat naar een man. Dan ken je je eigen waarde omdat je zelf de sleutel tot je eigen geluk bezit. Dan verander je niet in een kwetsbaar, behoeftig, emotioneel wrak zodra je verliefd wordt.'

'Snap ik,' zuchtte Maya. Dat scenario klonk al te bekend.

'Dus nu is het tijd om het lied van jouw ziel te zingen. Jij bent schrijver, dat zie ik. Je hart wil zich dolgraag uitdrukken in woorden. Maar je schrijft niet, hè?'

Maya schudde het hoofd.

'Omdat je bang bent dat het niet magnifiek wordt.'

Maya keek Sophie met open mond aan en vroeg zich nogmaals af hoe iemand die ze net had ontmoet haar zo goed kon kennen.

'Daar moet je je dus niet mee bezighouden. Je moet gewoon schrijven. En op een dag lukt het vanzelf. Jij hebt grootsheid in je. Je moet alleen de moed vinden om die bloot te leggen.'

Maya keek Sophie aan en glimlachte. Die woorden vervulden haar met een combinatie van rust en vreugde die ze al eens eerder gevoeld had. Ze sloot haar ogen en probeerde de herinnering terug te halen. Het was die avond in de universiteitsbibliotheek: zo fel als bliksem en zo licht als lucht.

Plotseling voelde Maya zich vervuld van een helder wit

licht. Het schoot door haar lichaam en scheen tot in haar diepste vezels. Op dat moment voelde ze liefde, volmaakt, absoluut en onvoorwaardelijk. Heel even was Maya zo gelukkig dat ze ter plekke had kunnen sterven.

Toen was het voorbij. Ze had een andere gedachte toegelaten. Angst had zich in haar kalmte gedrongen. De duisternis gleed haar geest binnen, nam bezit van haar borst en sloot al het licht buiten. Stel dat Sophie het mis had. Of erger, stel dat ze loog. Want ze wilde Sophie heel graag geloven, maar hoe kon ze het zeker weten?

Toen Maya weer opkeek, zag ze dat Sophie voor haar op het tapijt was gaan zitten.

'Je hoofd en je hart zijn in gevecht.'

Maya knikte.

'Ik weet dat het moeilijk is om je angsten te negeren,' zei Sophie. 'Maar probeer het alsjeblieft. Anders zal je grootsheid nooit tot uitdrukking kunnen komen. Ik weet dat er moed voor nodig is, maar geloof me, die moed heb je.'

'Ik denk het niet,' zei Maya zacht.

'Kijk, dat is je verstand,' zei Sophie. 'Dat is een angst. Het is geen feit.'

'Maar wat moet ik dan doen?'

'Dapper zijn.'

Maya tuurde door haar tranen heen naar Sophie, niet zeker of ze het goed gehoord had. 'Dapper?'

'Op dit moment ben je een konijntje,' glimlachte Sophie. 'Je moet een beer worden.'

Maya trok een wenkbrauw op. 'Een beer?'

'Een leeuw. Een adelaar. Een wolf. Wat voor jou het beste werkt. Om je angsten het hoofd te bieden, heb je kracht nodig. Je moet je volledig concentreren op wat je wilt worden. Grijp elk greintje moed en maak het groter. Zweep jezelf op tot uitzinnige passie en ga ervoor.' Sophie greep Maya's hand stevig vast en Maya voelde energie door haar heen stromen alsof ze net haar vingers in een stopcontact gestoken had. 'Zorg dat je die passie vasthoudt. Negeer alle tegenstrijdige en kritische gedachten. Negeer de reacties en meningen van anderen tot je voelt dat je groots, onverschrokken en sensationeel bent. In die gemoedstoestand kun je alles bereiken wat je wilt. Dat verzeker ik je.'

Maya ging even verzitten. Ze had Sophie's handen nog steeds vast en bedacht wat een gigantische, maar ongelooflijke uitdaging dit zou worden.

'En daarna kun je niet gewoon achterover leunen en het ervaren,' zei Sophie, alsof ze haar gedachten las. 'Volgens veel mensen is een positieve instelling alles wat je nodig hebt om te zorgen dat de dingen die je wilt hebben zichzelf manifesteren. Maar alleen geloven in jezelf is niet genoeg. Je moet ernaar handelen. Je moet dappere stappen zetten in de richting van je dromen.'

Maya slikte zenuwachtig.

'Goed,' zei Sophie. Ze liet Maya's handen los en gooide haar armen omhoog. 'Wat is het dapperste dat je vandaag zou kunnen doen?'

Maya dacht even na en haalde haar schouders op. 'Ik zou het niet weten.'

'Natuurlijk weet je dat wel!'

Weer stroomde Sophie's energie door Maya heen. Haar vingers tintelden en haar haar werd statisch.

'Goed dan, ik weet het!' riep Maya. Ze vond het prachtig dat Sophie zo vurig was. Haar energie en levenslust waren letterlijk aanstekelijk.

'Oké, een paar jaar geleden was ik ziek,' zei Maya. 'Ik had zo'n afschuwelijke griep waarbij je het grootste deel van de dag buiten westen bent. Het koffiehuis bleef dicht; ik heb een week op bed gelegen. Maar als ik wakker was, schreef ik. Het was niet te geloven. Ik genoot van elke minuut. Ik was niet aan het werk, maar ik voelde me niet schuldig omdat ik nog geen kop koffie had kunnen serveren zonder flauw te vallen. Ik deed niets dan schrijven. En zo kreeg ik een beetje een idee van hoe het zou zijn om fulltime te schrijven.'

Sophie lachte. 'Dat is prachtig.'

'De gedachte dat ik het koffiehuis weer een week zou sluiten, alleen om te kunnen schrijven, daar word ik zenuwachtig van,' zei Maya. 'Maar ik vind het ook een opwindend idee.'

'Geweldig. Zenuwachtige opwinding, dat is het geheim. De zenuwen laten zien dat je buiten het bekende gebied treedt, en de opwinding laat zien dat je tot leven komt. Wat dacht je van een maand?'

Maya viel bijna achterover.

'Meen je dat nou?'

Sophie haalde haar schouders op. 'Waarom zou je niet meteen héél dapper zijn?'

'Omdat ik dan compleet failliet ga. Ik heb mijn schulden bijna afbetaald, maar meer ook niet.'

'Ja, en zo zal je leven altijd blijven als je geen dappere stappen durft te zetten. Ik snap dat het krap zal worden.

Maar zou het kunnen, zonder dat je alles kwijtraakt?'

Maya dacht er goed over na en knikte toen nerveus. 'Net, ja.'

Sophie zei niets. Ze keek Maya aan en glimlachte. En in de stilte gaf ze de jonge vrouw de ruimte om te voelen wat er in haar hart lag.

'Ik zou er veel moed voor nodig hebben,' zei Maya uiteindelijk. 'En ik zou heel erg in mezelf moeten geloven.'

'Precies, en zonder dat is je leven toch niet veel waard?'

'Nee,' zuchtte Maya. Ze dacht even terug aan de vele saaie momenten in het koffiehuis. 'Dat klopt. Maar als ik nou niet kan schrijven? Als ik nou een hele maand verspil?'

'Een maand lang je hart volgen is nooit verspilde tijd,' zei Sophie. 'En geloof me, als je hier de moed voor kunt opbrengen, brengt het je op het pad naar je dromen.'

Heel even sloot Maya haar ogen. Ze glimlachte en liet de woorden bezinken in haar hart. Maar de angsten en zorgen in haar hoofd lieten zich nog steeds luid en duidelijk horen, waardoor ze nog niet helemaal overtuigd was.

Toen opende ze haar ogen weer. Ze keek Sophie aan en ergens vanbinnen viel er een diepe stilte. Maya voelde hoe ze overspoeld werd door Sophie's rust en tevredenheid: een zachte golf van eigenliefde omgaf haar hart, een ademtocht van erbarmen nam haar angsten weg en een storm van moed deed haar geest oplaaien. Ze voelde zo'n diepe band met Sophie dat Maya in een flits een heel helder beeld van zichzelf kreeg. Op dat moment wist ze in haar hart en haar ziel dat alles wat Sophie had gezegd, waar was.

Toen Maya bij de deur stond, draaide ze zich nog even om naar Sophie, omdat haar ineens iets te binnen schoot.

'Dat vergat ik nog te vragen,' zei Maya. 'Hoe luister ik naar mijn hart?'

Sophie en Maya zaten tegenover elkaar op tafel in kleermakerszit, met een kleine piramide van paars kristal tussen hen in.

'Is op tafel zitten een belangrijk onderdeel van het proces?' vroeg Maya, die zich volslagen belachelijk voelde.

'Nee, dat vind ik gewoon prettig,' glimlachte Sophie. 'Het zet de dingen in een ander perspectief, vind je niet?' En daar, op die tafel, leerde Sophie Maya hoe ze naar haar hart moest luisteren.

In het begin vond Maya het heel eng. Daarom besloot ze de zaak maar voor twee weken te sluiten, hoewel ze het gevoel bleef houden dat ze zichzelf en haar belofte aan Sophie tekort deed. Maar ze was veel te zenuwachtig om er een maand van te maken. Maya overwoog iemand in te huren om het koffiehuis te runnen, maar dan moest ze de boel nog steeds in de gaten houden en dat was toch iets anders dan echt sluiten. Sophie had het over een adempauze voor haar lichaam, hoofd en ziel. En die adempauze wilde Maya in elk geval nemen.

Twee dagen lang zat Maya in bed met Donut, zich afvragend wat ze nu in vredesnaam zou gaan doen. Ze vond afleiding in boeken, belde Faith, keek een paar films en at enorme hoeveelheden pruimentruffels en chocoladeplaatkoek met een laag maple-toffee-ijs. Ze legde naast haar bed een voorraad aan van die lekkernijen en andere hapjes om zo weinig mogelijk naar de koelkast te hoeven lopen, zodat ze haar computer niet onaangeraakt op de keukentafel hoefde zien staan.

Zeker vijfhonderd keer kwam het in haar op om naar beneden te gaan en het koffiehuis weer te openen, maar Faith had beloofd om onverwacht te komen controleren zodra Maya zich aan het plan zou houden. Dus ze hield zich in en verhuisde van haar bed naar de bank.

Maya probeerde zichzelf wijs te maken dat ze gewoon

wat tijd nam om te ontstressen, te ontspannen en te wennen aan haar nieuwe situatie. Het was een voorbereiding, ze maakte zich klaar om te gaan schrijven. Maar in werkelijkheid was Maya doodsbang. Ze vond het doodeng om aan haar computer te gaan zitten en dan te merken dat ze totaal niets te melden had.

Halverwege de derde dag stond Maya op. Ze gooide haar dekbed en daarmee Donut van de bank af, ging onder de douche, dronk twee koppen koffie, ijsbeerde een tijdje door de keuken, gaf Donut te eten, probeerde een subliem stuk bittere citroentaart in de koelkast te negeren, en ging toen eindelijk zitten om te gaan schrijven.

Twee uur later was het computerscherm nog steeds leeg. En ze was gezwicht voor de taart. De cursor knipperde haar vrolijk tegemoet. Maya staarde wanhopig terug. Haar grootste angst was uitgekomen. Ze was gestoord dat ze ooit in dit plan geloofd had. Wie dacht ze wel dat ze was? Je kunt wel dromen van schrijven, maar daarmee krijg je nog geen woorden op papier. Ze kon dit helemaal niet. Ze voelde zich mislukt en geschift.

Maya zuchtte en liet haar hoofd op tafel zakken. Zo bleef ze een hele tijd zitten. Ze kon zich er niet toe zetten om weer op te kijken naar het lege scherm. Toen sprong Donut op tafel en ging op haar haar zitten. Maya draaide haar hoofd een stukje om de kat eraf te krijgen zonder haar of zichzelf pijn te doen. Donut stond kribbig op en begon Maya's neus te likken. Maya glimlachte, ze kon het niet helpen.

Op dat moment besefte ze iets. Dit was precies waar Rose en Sophie haar voor gewaarschuwd hadden. Het duizelde haar van de gedachten. Angsten, zorgen en twijfels overspoelden haar. En ze trapte erin, ze liet toe dat ze hun eigen negatieve realiteit schiepen. Toen wist Maya dat er nooit iets van haar leven terecht zou komen zolang ze naar haar hoofd bleef luisteren. Het was tijd om met haar hart te praten.

Maya wachtte tot het donker was en sloop toen de trap af, naar het koffiehuis. Ze wist dat het een beetje raar was om dit te proberen op de plek waar ze zich zo vaak ellendig voelde. Maar tegelijk was het koffiehuis wel een plek waar ze zich veilig voelde.

Als ze 's avonds laat alleen was, dacht ze vaak aan haar moeder en hoezeer ze haar miste, dat haar leven veel fijner zou zijn als Lily nog zou leven. Soms ging Maya dan naar beneden om de lievelingstaart van haar moeder te bakken: een taart met rozenwater en witte chocola. Dan leunde ze tegen de toonbank aan, gleed langzaam naar beneden, vouwde zich op in kleermakerszit en begon te eten. Maya bakte altijd maar een klein taartje, want die volmaakte smaak in combinatie met haar verdriet betekende dat ze hem altijd tot de laatste kruimel opat.

Vannacht ging ze echter niet bakken. Ze stond midden in het donkere koffiehuis en probeerde contact te maken met haar hart. Ze haalde de herinnering aan haar moeder naar boven zonder hulp van smaken of geuren en voelde de vertrouwde steek in haar borst. Ze sprak een paar woorden, maar voelde zich stom. Ze was al half van plan om Faith te bellen, die haar vast graag zou helpen met zoiets idioots.

Maar nu ze eenmaal zover was, wist Maya dat ze dit alleen moest doen.

En daar stond Maya, een eenzame figuur in de lege ruimte, ogen gesloten, voeten uit elkaar, armen langs haar lichaam. Precies zoals Sophie gezegd had.

'Ga ergens staan waar je alleen bent en laat stilte over je komen. Neem een beeld van je hart in je hoofd en bedenk dat het meer is dan alleen een orgaan. Het is namelijk de kern van je levenskracht, en het klopt op het ritme van creativiteit en liefde. Stel je voor dat dat jouw lichtbaken is. Doe het licht aan en het zal je pad verlichten en je leiden naar het leven van je dromen.'

'Dat meen je toch niet,' had Maya gezegd, ze had het idee dat Sophie plotseling haar verstand kwijt was. Maar het medium had Maya aangekeken met een veelbetekenende glimlach.

'We worden allemaal geboren met een hart dat onze dromen in zich draagt en ze beschermt tegen de invloed van ons negatieve, rationele verstand,' zei Sophie zachtjes. 'Als kind volgen we ons hart de hele dag; we volgens ons instinct en onze intuïtie. Maar op een dag luisteren we niet meer naar ons hart. Dan luisteren we alleen nog maar naar de gedachten in ons hoofd.'

Sophie zuchtte spijtig. 'En als mensen zich niet meer richten op hun dromen, raken ze verdwaald in het labyrint van hun verstand. Daar lopen ze eindeloos in cirkels rond. Dan beginnen de kleuren van het leven dof te worden en langzaam sterft de opwinding weg. Net zolang tot je vastzit in een gevangenis die je zelf hebt gebouwd. Je kijkt naar het leven dat zich buiten afspeelt, maar zelf leef je niet.'

Maya knikte langzaam. Ze wist maar al te goed hoe waar dat was. Het beschreef het verloop van haar leven exact.

'Probeer het dan gewoon,' drong Sophie aan. 'Ik weet dat je het belachelijk vindt en het zal in het begin nogal dwaas voelen. Maar als je verstrikt raakt in je leven, kan je hart je de antwoorden geven. Dat beloof ik je, als je het maar durft te vragen.'

Op dat moment had Maya haar nog niet echt geloofd, maar ze wilde het toch wel eens een keer proberen. Waarom ook niet? Wat had ze te verliezen?

En daar stond Maya in het koffiehuis. Ze voelde zich stom. Ze stelde zich haar hart voor als een lichtbaken en vroeg het om met haar te praten. Ze wachtte. En wachtte. Maar er gebeurde niets. Maar toen Maya het bijna wilde opgeven, besefte ze ineens dat ze haar hart niet echt een vraag gesteld had.

'Oké, hart van me,' zei Maya hardop. Het voelde idioot en ze hoopte dat niemand ongemerkt toekeek. 'Ik zit vast en ik heb je hulp nodig. Ik weet niet wat jij me kunt vertellen. Ik wil geloof ik weten of ik moet proberen om te schrijven... Ik weet niet zeker of ik het kan en het lijkt stom om het zelfs maar te proberen. Maar ja, die dag in de bibliotheek. Toen voelde ik me voor het eerst van mijn leven echt... subliem. Ben ik geschift als ik dat gevoel wil volgen?'

Toen, na een paar minuten stilte, hoorde ze het. Of liever, ze voelde het, want haar hart sprak niet met woorden maar met gevoelens. Maya stond stokstijf stil terwijl er van alles in haar opborrelde. Ze luisterde terwijl de gevoelens geleidelijk aan de vorm van haar eigen stem aannamen.

'Zal ik gaan schrijven?' vroeg ze nogmaals.

'Ja. Begin en hou niet meer op. Dan zul je al snel prachtig kunnen schrijven,' klonk het antwoord. *'En dat zal je vreugde brengen.'*

'Zal ik ervan kunnen leven?'

'Ja, op den duur wel,' zei haar hart. *'Maar alleen als dat je intentie is. En je moet die intentie volgen met veel moedige daden.'*

Maya schrok hier een beetje van terug. Ze voelde zichzelf weer wegzinken in angst en verloor bijna het contact met haar hart. Snel concentreerde Maya zich.

'En hoe zit het met liefde?' vroeg ze.

'Als je barmhartig voor jezelf kunt zijn,' vervolgde haar hart. *'Dan zul je liefde vinden. Veel mannen zullen je begeren, want niets is zo aantrekkelijk als iemand die zichzelf volledig liefheeft, vanuit een zuiver hart. Dus maak je keus zorgvuldig.'*

'Is dat alles wat ik nodig heb om liefde te vinden? Erbarmen?' vroeg Maya, hoewel ze goed wist wat dat betekende.

'Erbarmen, empathie en vergiffenis zijn de hoekstenen van onvoorwaardelijke liefde. Maar het eerste is het belangrijkste. Als je dat eenmaal hebt, zullen de andere twee daar al snel uit voortkomen.'

Maya wachtte. Ze vroeg zich af of ze de vraag zou stellen waar ze werkelijk een antwoord op wilde. Ergens dacht ze dat ze dat beter niet kon doen, maar ze besloot er lak aan te hebben.

'Is Jake de ware?' vroeg Maya, maar ze voelde niets. Ze deed haar uiterste best om iets te horen, maar er kwam geen antwoord. Ze was bang dat die stilte het antwoord was, maar besloot er niet aan toe te geven.

'Goed dan. Heb je dan misschien advies over hoe ik eindelijk definitief kan afvallen?'

Deze keer kwam het antwoord snel, alleen kwam het niet vanuit haar hart maar via haar lichaam. Plotseling was ze zich heel bewust van haar lichaam, alsof het een levend wezen was dat geheel losstond van haar geest. Ze voelde de pijntjes, de kwaaltjes en het verdriet. Ze voelde hoe het snakte naar iemand die ervoor zorgde, het liefhad en koesterde en accepteerde. Ze besefte hoe het huilde wanneer zij het haatte, wanneer ze het honger en ontbering liet lijden, wanneer ze het volpropte en voelde hoe het veracht werd.

'*Zolang jij me haat,*' zei haar lichaam, '*zal ik zwaar zijn en de last van die pijn dragen. Vul mij met liefde in plaats van haat. Want liefde is licht en haat is zwaar. Zorg voor me, koester me, vertroetel me, heb me onvoorwaardelijk lief. Begin daarmee zoals ik nu ben en dan zal ik die last neerleggen; ik zal het gewicht loslaten en zo mooi worden als ik ooit bedoeld was.*'

De volgende dag stond Maya op en begon te schrijven. Een paar uur later begon het verhaal vorm te krijgen en kon Maya de woordenstroom nauwelijks bijhouden. Toen nam ze eindelijk even pauze. Hoewel ze eeuwig voor haar monitor had kunnen blijven zitten, dwong Maya zichzelf om de frisse lucht in te gaan. Ze liep naar het park en ging lekker in de zon zitten.

Toen ze weer aan het werk ging, voelde het heel anders. Nu kwamen de woorden langzaam. En heel voorzichtig begon hun genezende werking voelbaar te worden. Vanuit de hemel, vanuit de ether, overal vandaan zweefden ze haar bewustzijn binnen. Ze bleven hangen tot ze door haar heen stroomden, naar haar vingertoppen en de toetsen. En terwijl ze door haar lichaam en haar bloedbaan raasden deden ze hun magische werk, als kleine regenererende celletjes, schakels van kettinkjes die al haar scherven aan elkaar lijmden en haar weer tot een geheel maakten.

Ver na middernacht dook Maya uitgeput en volkomen gelukkig haar bed in. Ze bedacht dat ze de hele dag was vergeten om te eten. En net voor Maya haar ogen sloot besefte ze ook dat ze niet één keer aan Jake gedacht had.

Maya had nooit gedacht dat werken zo kon voelen. Elke dag zette ze haar wekker op acht uur, maar ze werd iets na zessen wakker, opgewonden en popelend om te gaan schrijven. En als ze dan weer op de klok keek, waren er in een seconde vele uren voorbijgegaan.

Ze gaf zichzelf elke dag tot zes uur 's avonds de tijd om te schrijven. Sophie had voorgesteld dat Maya 's avonds andere leuke dingen zou doen om haar geest en haar ziel te voeden. Maar het viel haar moeilijk om te stoppen met schrijven, omdat ze er zo van genoot. En als ze zag dat het pas drie uur was, was ze dolblij dat ze nog drie uur mocht blijven creëren.

In het koffiehuis hadden de uren zich voortgesleept, een traag tik-tak van martelende verveling. Ze had zich opgesloten gevoeld in een hel die ze zelf gebouwd had. Nu was Maya vrij. Ze was nu in een hemel die ze zelf gebouwd had en voelde meer levenslust dan ooit tevoren.

Voor Maya was schrijven een kwestie van creëren en herinneren. Er kwamen allerlei vreemde en mooie herinneringen terug, als cadeautjes in haar schoot geworpen. Ze schilderden haar momenten voor van vreugde en hoop die ze voor eeuwig kwijt dacht te zijn. Maya's ziel kreeg langzaamaan vorm op de pagina en voor het eerst in haar leven werd ze zich bewust van haar eigen grootsheid.

In haar opwinding dacht Maya niet meer aan eten of aan

Jake. Haar geest hoefde niet meer te dagdromen, want hij was vol creativiteit. En haar buik zat haar niet dwars, want ze zat vol woorden.

De twee dingen waar ze zo lang onder gebukt was gegaan, waren geen last meer, dankzij de stap die ze had gezet op weg naar de trouw aan zichzelf.

Toen de twee weken voorbij waren, wist Maya dat ze het koffiehuis nog niet kon openen. Ze was nog niet bereid om de vreugde los te laten. En deze keer had ze geen twijfels meer.

Met vlinders in haar maag van angst en opwinding liep Maya naar beneden om de openingsdatum op het bordje te veranderen. En terwijl ze de trap af huppelde, zag ze tot haar tevredenheid dat haar buik een stuk minder meedeinde. Maya rende naar de deur van het koffiehuis, draaide het bordje om, krabbelde er iets op en draaide het weer om. En toen ze zich net omdraaide om terug te gaan, zag Maya hem buiten staan.

Jake grijnsde en Maya slikte.

Nu hij daar voor haar stond en ze twijfelde of ze zou vluchten, besefte ze ineens dat dit een kans was die ze misschien nooit meer zou durven grijpen. Ze was eindelijk echt gelukkig, voldaan en tevreden. Dat had Maya zelf teweeggebracht. Ze wist wel dat ze geen man nodig had, maar toch wilde ze er eentje. En haar gelukzaligheid gaf haar moed.

Natuurlijk wist Maya diep in haar hart dat het te vroeg was om iets met Jake te beginnen. De woorden van Sophie weerklonken nog in haar hoofd: ze moest eerst van zichzelf houden voordat ze aan een man begon. En ze was er eigenlijk nog niet helemaal klaar voor. Maar Maya was bang dat het moment voorbij zou gaan en dat ze nooit meer de moed zou hebben om haar kans te grijpen. Toen ze de deur opendeed en Jake haar toe grijnsde, smolt ze.

'Hoi,' zei hij terwijl hij binnenkwam. 'Ik ben blij dat je terug bent. Ik heb de dagen echt lopen aftellen.'

Maya straalde van geluk.

'Tja,' zei Jake. 'Als ik 's ochtends mijn dosis cafeïne niet krijg, kan ik de rest van de dag wel vergeten. En ik kan niet tegen die koffieketens. Hun koffie is altijd zo slap. En daar krijg ik geen cacaoboontjes bij mijn cappuccino.'

Maya's glimlach verdween. Lichtelijk in paniek liep ze achter hem aan naar de toonbank. Het ging niet echt zoals ze zich had voorgesteld.

'Nou, eigenlijk zijn we nog niet open...'

'Echt niet? Ook niet voor een wanhopige stamgast?' Daar was die verpletterende glimlach weer.

'Ja, nou ja... Goed, wat wil je hebben? Het normale recept? Ik heb trouwens alleen maar koffie. Ik heb nog geen tijd gehad om taarten te bakken. Maar jij bestelt ook nooit taart, dus...'

'Een cappuccino graag. Een hele grote.'

Toen Jake zijn koffie aanpakte en betaalde, voelde Maya een zekere wanhoop. Zo kon ze hem toch niet laten gaan. Ze ademde diep in, vatte moed en dacht aan haar mantra: *Leef niet veilig, maar wees trouw aan jezelf.* Als ze Jake mee uit zou vragen, besefte ze, ging het er dus helemaal niet om of hij haar uitnodiging zou aannemen of niet. Het ging erom dat zij de moed had om te uiten wat ze in haar hart voelde.

Uiteraard ging Maya voor het gemak voorbij aan het feit dat dit verlangen niet echt uit haar hart kwam. Ze viel zo op Jake dat dat gevoel al haar instincten overstemde. Als Maya eventjes de tijd had genomen om stil te zijn, om te luisteren naar het zachte gefluister van haar hart, dan had ze dat geweten. Maar op dit moment klonk het gebrul van verlangen en wanhoop zo luid in haar hoofd dat ze niets anders kon horen.

Toen Maya eindelijk de moed gevonden had, was Jake al bij de deur.

'Wacht!'

Jake draaide zich weer om. Maya bleef stokstijf staan en was het liefst ter plekke door de grond gezakt.

'Ik eh...' mompelde Maya. 'Ik vroeg me af of je zin hebt... om met me uit eten te gaan.'

Jake keek haar verrast aan. De tien seconden daarna leken wel een eeuwigheid te duren.

'Tuurlijk,' zei hij ten slotte. 'Waarom niet?'

Maya zuchtte en kon eindelijk weer ademhalen. Een enorme opluchting overspoelde haar. Het was niet echt het antwoord waar ze van had gedroomd. Maar het was geen 'nee'. En dat was nu even het enige waar het om ging.

Nu had Maya alles wat ze zich ooit gewenst had. Ze schreef elke dag, ging elke avond met Jake uit en was in drie weken zo'n zes kilo afgevallen. Nu moest ze alleen nog iets meer geld verdienen.

Boven alles was Maya verliefd. Het was nog pril, en ze was absoluut niet van plan om het tegen Jake te zeggen, maar ze had het idee dat hij echt wel eens de ware zou kunnen zijn. Ze vond het erg dat ze eerder zo slecht over hem gedacht had, want nu was hij geweldig. En hij leek haar ook leuk te vinden, iets wat ze uitermate schokkend en opwindend vond. Hij wilde steeds bij haar zijn en zodra ze even niet bezig was met schrijven of andere heerlijke bezigheden, kwamen ze bij elkaar.

Het mooiste was dat ze hem niet per se hoefde te zien. Ze had het naar haar zin bij hem, maar ze dacht niet aan hem als hij er niet was. Ze telde de uren niet. Ze concentreerde zich op de dingen waar ze mee bezig was, gaf zichzelf daar volledig aan over en keek dan verrast op als de telefoon ging. En dan was het dus altijd Jake met een of ander geweldig plan.

Hun dates waren elke keer weer fenomenaal. Ze deden geweldig leuke dingen: naar balletvoorstellingen, theatershows, chique restaurants, galeries, wandelen in het park door de laatste herfstbladeren. Jake organiseerde al die dingen, en hij betaalde. Dat was maar goed ook, want

Maya kon zich amper een banaan veroorloven. Hij kocht zelfs kleine cadeautjes voor haar, dingen waarvan ze had gezegd dat ze ze leuk of lekker vond, of wel eens wilde proberen: operamuziek, jasmijnthee, een rode zijden jurk. En armen vol prachtige bloemen zonder één anjer ertussen.

Dat vond Maya nog het allerfijnste: dat Jake echt naar haar luisterde. Hij lette op, hij prentte zich dingen in, hij gaf pas antwoord als hij echt had nagedacht over wat ze had gezegd. Hun gesprekken waren geen wedstrijd waarbij elk zat te wachten tot ze de kans kregen om iets te zeggen; ze gingen in elkaar op, hun gesprekken waren groots en meeslepend.

De eerste keer dat ze het bed deelden, was Maya bijna in tranen. Zo teder had een man haar in geen jaren aangeraakt. Sterker nog, sinds Rose was het enige levende wezen dat haar had aangeraakt Donut, die weliswaar een echt knuffelbeest was, maar toch het gemis aan een liefdevolle relatie niet echt kon goedmaken.

Jake was teder en sterk. Zijn kussen voelden heet op haar huid en als hij even losliet om adem te halen, kromde ze haar rug om zijn mond weer te voelen, ze drong zich tegen hem aan, nog harder en sneller, tot ze eindelijk samensmolten en langzaam wegzonken in een poel van puur geluk.

Maya nestelde zich in Jake's armen. Ze kon niet geloven wat er zojuist gebeurd was. Ze keek op en hij kuste haar.

'Alles goed?'

'Nee. Alles heerlijk.'

Eerlijk gezegd was Maya buiten zichzelf van vreugde. Niet alleen omdat ze in bed lag met Jake, maar ook omdat ze voelde dat ze hem niet wanhopig nodig had. Ze was zo gelukkig, zo gefocust, zo voldaan dat ze hem niet nodig had. Het leven was schitterend en Jake was niet meer dan een bonus.

'Jij bent anders dan alle vrouwen die ik ooit heb gehad,' zei Jake. 'Ik vind het geweldig.'

'Dan álle?' glimlachte Maya. 'Je klinkt nogal sletterig.'

'Hou op,' lachte Jake. 'Ik bedoel alleen dat ik me lekker voel bij jou. Ik heb niet het gevoel dat je me probeert vast te leggen.'

'Dat doe ik ook niet,' zei Maya, en ze meende het echt.

'Weet ik, en dat vind ik echt geweldig. Ik vind het heerlijk bij jou. Ik wil je niet meer kwijt.'

'Je raakt me ook niet kwijt. Waarom denk je dat?'

'Weet ik veel. Ik weet alleen dat ik dat niet wil.'

Maya deed haar hoofd achterover om hem te zoenen.

'Je bent een ongelooflijke vrouw, Maya,' zei Jake. 'Je bent zo gelukkig. Je accepteert mij zoals ik ben. Er zijn zoveel vrouwen die een man willen veranderen. Veranderen en vastleggen. Maar jij niet. Daarom hou ik van je, jij zit zo goed in je eigen vel dat je mij gewoon mezelf laat zijn.'

'Tja, dat is waarschijnlijk omdat ik jou niet nodig heb om mij compleet te maken of om mijn leven mooi te maken, want dat is al mooi.' Maya glimlachte. 'Ik ben gelukkig als je hier bent en ik ben ook gelukkig als je er niet bent.'

Op dat moment besefte Maya dat ze het echt meende. Ze zei niet zomaar iets om Jake naar de mond te praten. Ze was hier zo tevreden over, zo blij dat ze eindelijk echt liefhad, zonder alle problemen van noodzaak en afhankelijkheid, dat het haar bijna ontging dat Jake haar net zijn liefde had verklaard.

Maya genoot van elke seconde in die gelukzalige dagen zonder het koffiehuis, maar mét haar boek. Als ze wakker werd, bleef ze een paar minuten liggen, genietend van de ochtendzon. Soms mediteerde ze even, om dan uit bed te springen, klaar om te gaan schrijven.

Wanneer Maya aan haar bureau ging zitten met een kop koffie, voelde ze zich meer gezegend dan wie dan ook ter wereld. Ze liet alles wat in haar hart was volledig tot uiting komen, propte het niet meer in de verloren momenten van de dag, maar liet het ieder moment van haar leven vullen.

Als ze niet schreef, vulde ze haar tijd met lange wandelingen, schuimbaden, mediteren, dansen in haar woonkamer, onder bomen het leven voorbij zien trekken; bezigheden die ze uitzocht op één enkel doel: het voeden van haar ziel.

Eindelijk begreep Maya echt wat Sophie had bedoeld toen ze zei dat ze eerst liefde moest vinden, en dan pas een man. Voor het eerst in haar leven zorgde ze echt voor zichzelf. Voor het eerst was haar eigen geluk haar eerste prioriteit. En precies zoals Rose had beloofd, werkte haar vreugde inspirerend op iedereen om haar heen en liet ze overal waar ze ging kleine spoortjes tevredenheid na. Haar glimlach was aanstekelijk, haar gebabbel vrolijk en met haar lach opende ze ieders hart en voelden de mensen dat alles, hoe dan ook, wel goed zou komen.

Als Maya schreef voelde ze haar ziel bijna overlopen van vreugde. Dit was haar hartenwens en nu was het haar leven. En omdat ze veel te opgewonden was om te eten, kon Maya ook volop genieten van haar nieuwe lichaam. En ze was vooral ongelooflijk trots dat ze de moed had gehad om Sophie's advies te volgen.

Toen kwam het moment dat het koffiehuis weer open moest. Maya had daar erg tegenop gezien. Ze had eindelijk haar geluk gevonden en wilde dat niet loslaten. Ze wilde haar ziel niet verraden.

Maar ze wist niet wat ze anders kon doen. In de afgelopen maand had ze daadwerkelijk haar roman afgemaakt, een nogal autobiografisch stukje spirituele fictie, en ze had bedacht dat ze misschien nog wel iets meer moed kon tonen door het naar literair agenten en uitgevers te sturen. Dat was een angstaanjagend idee, vooral omdat het boek zo persoonlijk was en het schrijfproces zo magisch, dat de mogelijke afwijzingen bij voorbaat al bijna te pijnlijk waren.

Maya's eerste ochtend terug in het koffiehuis voelde vreemd, alsof ze er niet meer thuishoorde. Maya glimlachte nog steeds tijdens het bakken, terwijl ze de ingrediënten doorroerde, aan de lavendelsuiker rook, warme kersenappelgebakjes, aardbeikruimeltaarten, chocoladetaartjes en abrikozenvlaaitjes uit de oven haalde. Maar toen ze het koffiehuis opende en aan de toonbank ging zitten, voelde ze zich ineens triest.

Aan het einde van de dag stond het huilen Maya nader dan het lachen. Ze had die dag twintig klanten gehad. Als ze het financieel wilde redden, moest ze er een hoop energie in steken om het koffiehuis tot een succes te maken.

Dat zou nog veel meer werk kosten. En ze wilde er helemaal geen energie insteken. Ze wilde alleen schrijven.

Die avond raapte Maya al haar moed bij elkaar en trof de voorbereidingen om haar roman naar uitgevers te sturen. Ze zat op de vloer van haar woonkamer met grote stapels manuscripten om zich heen, en begon ze in enveloppen te stoppen. Donut draaide rond de stapels papier terwijl Maya bezig was.

'Zeg, lieve bollie van me, hou daar eens mee op.' Maya tilde de kat op en liet haar zachtjes op de bank vallen. Donut bleef even zitten, maar sprong toen weer op een grote stapel papier en maakte er een enorme bende van. Maya moest lachen.

De hele avond hield ze zich vast aan wat Sophie had gezegd, dat positief denken en handelen absoluut noodzakelijk waren om het leven van haar dromen vorm te geven. Dus terwijl ze de enveloppen vulde, concentreerde Maya zich er intensief op dat de juiste mensen ze zouden openen. Dat ze de eerste hoofdstukken zouden lezen, dat ze die geweldig zouden vinden en haar zouden bellen om meer te sturen. Ze stelde zich voor dat haar werk uitgegeven zou worden, dat ze anderen zou inspireren om hun dromen na te jagen, dat ze genoeg boeken zou verkopen om fulltime te kunnen gaan schrijven en de rest van haar leven volkomen voldaan zou kunnen leven.

Het was een heerlijke avond. Maya was zo opgewonden, zo zeker dat dit het was, het begin van een ongelooflijke reis, dat ze de lucht om zich heen bijna voelde gonzen. Ze sprong een paar keer op voor een klein overwinningsdansje door de kamer. Elke cel in haar lichaam tintelde en haar hart lichtte op. Het was het volmaakte hoogtepunt van haar maand van creativiteit. Toen ze weer ging zitten, glimlachte Donut en keek toe hoe Maya's dromen zich openbaarden.

Zes weken later ontving Maya haar eerste afwijzingsbrief en ze was er kapot van. Dat had ze helemaal niet verwacht. Ze was zo opgetogen geweest, zo zeker dat de eerste reactie meteen 'ja' zou zijn, dat ze niet wist wat ze hiermee moest. Diep vanbinnen had haar vertrouwen in Sophie, en haar geloof in de kracht van het manifesteren, een klein deukje opgelopen. Toen ze aan het einde van de maand alle manuscripten terug had met een afwijzing, was haar vertrouwen volledig weggevaagd.

Maya begreep er niets van. Ze had alle suggesties van Sophie exact opgevolgd. Ze had in zichzelf geloofd en ze was dapper geweest. Maar het had niet gewerkt.

In een vlaag van woede en wanhoop, en met de laatste afwijzingsbrief nog op de toonbank sloot Maya die ochtend het koffiehuis. Ze wilde alles om zich heen kapot smijten, de taarten door de etalageruit gooien en alle bordjes op de vloer. In plaats daarvan gleed ze langs de toonbank op de grond en huilde.

Als Sophie erbij was geweest, had ze gezegd dat Maya het niet moest opgeven. Dan had ze haar eraan herinnerd dat je moet geloven in jezelf, vooral als de wanhoop het grootst is. Dan had ze Maya voorgehouden dat dit nog maar het begin van haar glorieuze reis was, dat ze zich moest vermannen en doorzetten vol vertrouwen en vastberadenheid, omdat haar dromen niet zo ver weg waren. Maar Sophie was er niet en Maya kwam niet op het idee om haar te bellen. Ze belde Jake.

Die avond wist Jake Maya af te leiden van haar teleurstelling. Hij nam haar mee naar de bioscoop en toen ze achterin zaten, haar hand in de zijne, zoenend bij een bak popcorn, duwde Maya haar verdriet weg en concentreerde zich alleen nog maar op hem.

Maar hoewel ze het op dat moment niet door had, duwde Maya met haar verdriet ook haar vertrouwen in haar dromen weg, omdat die haar nu alleen maar pijn deden. En op dat moment, waarin alle keren dat ze de moed had opgegeven bij elkaar kwamen, deed ze het gewoon wéér. Maya bedacht dat ze misschien helemaal niet hoefde te schrijven; misschien had ze wel genoeg aan Jake.

'Wat?' riep Faith toen Maya dat idee met haar besprak. 'Ben je vergeten wat Sophie heeft gezegd? Ben je vergeten dat je voldaan moet blijven?'

'Ik weet het, ik weet het. Dat ben ik niet vergeten. Maar ik kan niet de hele dag schrijven; ik moet het koffiehuis runnen. En als dat dan per se moet, heb ik liefde in mijn leven nodig om het te kunnen redden.'

'Dit wordt een ramp,' zei Faith. 'Dan moet hij de bron van al je geluk zijn. Dat is niet goed. En zo verpest je de relatie. Dan word je klef en bezitterig en dan is hij zo vertrokken.'

'Kom op, zeg. Dat is niet eerlijk.'

'Tja, het is niet eerlijk van jou om zo'n druk op iemand anders te leggen. Het is niet zijn taak om jou gelukkig te maken.'

'Hou eens op met dat spirituele gedoe,' snauwde Maya. 'We kunnen niet allemaal net zo zijn als jij, ja. Niet iedereen kan leven van de bron van universele liefde, of hoe je dat dan ook noemt.' Maya voelde de woede in haar borst oprijzen. Ze worstelde ermee en onderdrukte de neiging om de telefoon erop te gooien. 'Luister, jij begrijpt het dan misschien niet, maar daar draait echte liefde juist om, dat je elkaar gelukkig maakt.'

'Nee,' zei Faith rustig. 'Dat is geen liefde. Dan neem je gewoon geen verantwoordelijkheid voor je eigen leven, voor je eigen geluk.'

'Wat jij wilt. Ik ben niet zoals jij. Ik heb een man nodig om gelukkig te zijn.'

'Dat is niet waar. Een maand geleden was je in je eentje zo gelukkig dat hij alleen maar een extraatje in je leven was. Dat heb je zelf gezegd. Een van de vele brokjes chocola in je koekje,' zei Faith. Ze citeerde het grapje waar Maya eerder om gelachen had. Maar deze keer was Maya zo wanhopig bezig om haar gelijk te halen, dat ze er alleen maar kwader van werd.

'Ik moet ophangen,' loog Maya.

'Wacht.'

Maya zuchtte en bracht de telefoon weer terug naar haar oor.

'Schat, ik wil alleen maar helpen,' zei Faith zachtjes. 'Ik weet dat je op dit moment alleen maar wilt dat ik je gelijk geef, dat ik zeg dat je goed bezig bent. Maar daarvoor hou ik te veel van je. Ik zeg je dit: Als je wilt dat deze relatie een succes wordt, ben je nu bezig om hem weg te duwen. En het is prima als je me een rotwijf vindt omdat ik dat zeg.'

Maya zuchtte weer. 'Ik vind je helemaal geen rotwijf. Maar ik... Ik geloof gewoon niet dat je gelijk hebt.' Maar haar stem klonk lang niet meer zo zeker als eerst.

'Oké.' Faith gaf het op. 'Maar nog even één ding voor je ophangt. Ik ben de laatste tijd met heel wat mannen uit geweest, en dat was geweldig. En inmiddels geloof ik echt dat het hele idee dat er geen beschikbare mannen zijn, kletskoek is.'

'Wat?'

'Ik denk dat de meeste mannen net zo graag verliefd willen worden als wij. Maar soms jagen vrouwen ze weg. We maken onze eigen dromen niet waar en verwachten dat zij dat voor ons doen. Zo'n grote last mag je niemand opleggen.'

'Maar dat doe ik niet...'

'Het klinkt nu alsof je terugzakt in een leven waarin je je ellendig voelt. En je gaat niet op zoek naar de moed om er iets aan te doen, maar je overweegt je hele hart in Jake te investeren. En dat kan niet. Dat mag je hem niet aandoen en jezelf ook niet. Jullie verdienen allebei beter.'

Een maand later had Maya het sterke vermoeden dat Faith gelijk had, maar ze negeerde haar advies nog steeds.

Ze deed haar best om niet aan de afwijzingen te denken, maar haar teleurstelling en verslagenheid stonden haar in de weg bij het schrijven. De monotone dagen regen zich aaneen en vormden een zware last op haar hart. Ze had niet eens de energie of de neiging om 's avonds leuke dingen te gaan doen. Ze ging liever naar Jake, als minder gecompliceerde optie.

En al heel snel waren de momenten met hem het enige wat haar nog vreugde bracht. Ze had haar man aan de haak geslagen en schoof nu al haar andere ambities aan de kant. Ergens had ze nog wel het angstige gevoel dat ze het verkeerd deed, maar Maya probeerde te vergeten wat Faith had gezegd en richtte zich nu alleen nog op haar geluk met Jake.

Dus als Maya niet bij hem was, wachtte ze tot hij er weer was. Ze hielde klok in de gaten. Ze at koekjes om de tijd te doden. Ze begon de kleine dingen die haar ooit zo gelukkig maakten, te vergeten. In het begin kwam hij wanneer ze maar belde, maar langzaamaan veranderde er toch iets tussen hen. Jake trok zich steeds wat verder terug en Maya had hem steeds meer nodig.

Maya wist wat er aan de hand was; ze voelde hoe ze naar Jake toe trok en wenste dat ze er iets tegen kon beginnen. Maar hoe ze ook haar best deed, ze had haar gevoelens niet in de hand. Er was niets anders in haar leven. Alleen een koffiehuis waar ze van baalde, een al te grote chocoladeconsumptie, een groeiende ontevredenheid over haar lichaam, een leegte in haar ziel. En Jake. Hij was de enige bron van vreugde in Maya's leven en zij was verslaafd.

Het licht van de liefde was fel, zo oogverblindend fel dat Maya het langzame scheefgroeien niet zag, het waarschuwingslampje dat stilletjes binnen in haar knipperde. En ze negeerde het twee maanden later toen Jake helemaal niet meer belde en ze haar ziel uiteen voelde rafelen in de wind.

Maya deed alles wat ze kon bedenken om Jake terug te krijgen en zijn gevoelens voor haar opnieuw te laten oplaaien. Ze dacht geen moment meer aan Faith, Rose en Sophie. Maya hield zichzelf nu voor dat Jake haar enige ware bron van voldoening was. En als haar nicht belde, deed ze of alles in orde was, om vervolgens zo snel mogelijk weer op te hangen.

Alleen bij het vrijen voelde Maya nog iets van de intimiteit die ze in het begin van hun relatie had gekend. Dus zeurde Maya dat ze met hem wilde vrijen, wanhopig op zoek naar dat gevoel. Als hij op zo'n nacht lag te slapen, lag zij zich in bed vast te klampen aan de verbondenheid die steeds minder werd. Maya wilde niet loslaten, want ze wist dat dat gevoel er alleen 's avonds was en dat het de volgende ochtend verdwenen zou zijn.

Als Jake sliep, kroop Maya uit bed, over zijn kleren heen. In het donker las ze zijn sms'jes, op zoek naar aanwijzingen dat er andere vrouwen in het spel waren. Maar ze vond nooit iets belastends, ze bereikte alleen nieuwe dieptepunten van zelfhaat en wanhoop die ze nooit verwacht had.

Daarna zat Maya zich dan rillend, met bonkend hart, op de rand van het bed af te vragen of ze zich ooit weer goed zou voelen.

Maya zei hier nooit iets over tegen Jake, omdat ze bang was dat ze hem dan voorgoed zou afschrikken. In plaats daarvan koesterde ze elk moment dat hij kwam zodra ze belde en klampte ze zich vast aan elk uur dat ze bij elkaar waren. Maar omdat ze niet over haar ware gevoelens kon praten, bracht Maya haar waarheid maar helemaal niet meer ter sprake. Ze kropte alles op, bang voor wat eruit zou komen als ze eerlijk zou zijn, zelfs maar over het kleinste dingetje. Dus luisterde ze naar Jake en reageerde alleen op de dingen waar hij het over had. Dan knikte en glimlachte ze en gaf hem in alles gelijk. Dat begon Jake al snel te vervelen. Maya voelde zich leeg, ze wist niet meer wat ze dacht of hoe ze zich voelde, of zelfs wie ze was.

Toen kwam het moment dat hun kleine, nauwelijks nog flakkerende vonk doofde.

Maar Maya wilde dat niet accepteren. Ze probeerde de boel op te leuken, deed haar best om nog dieper in hem door te dringen, maar ze wist dat zijn hart niet meer bij haar was. In het begin probeerde Jake nog de aardige aanpak, maar hoe meer zij hem onder druk zette, hoe meer hij zich terugtrok. Uiteindelijk begon hij zelfs wreed te worden.

Toen Jake zei dat ze volgens hem beter uit elkaar konden gaan, wist ze zeker dat hij het verkeerd zag. Dus bleef ze nog een half jaar aan hem plakken. Wat hij ook zei of deed, en hoe pijnlijk het ook was. Tot het moment dat hij haar eindelijk verliet.

Die dag stond Maya in de woonkamer te schreeuwen. Jake zat op de bank, waar Donut zich onder verstopt had.

'Ik wed dat er honderden mannen rondlopen die voor mij zouden vallen!' riep Maya, iets wat ze zelf wanhopig graag zou geloven. 'Waarom moet die ene man die ik liefheb zo'n enorme hufter zijn? Waarom kun je niet van mij houden? Wat mankeert jou in vredesnaam?'

'Ik ben geen hufter,' zei Jake zachtjes. 'Ik heb nooit gezegd dat je alle hoop moest opgeven, dat je jezelf moest weggeven. Dat heb ik je nooit gevraagd. Dat heb je helemaal zelf gedaan.'

Maar Maya wilde niet luisteren, of het zelfs maar begrijpen.

'Waarom kon je nou niet van mij houden?' snikte ze. Ze had het gevoel dat ze in tweeën zou breken. 'Waarom kon je mijn liefde nou niet beantwoorden?'

'Dat heb ik wel gedaan. Ik hield van je.'

Maya wilde net weer gaan schreeuwen, maar hield zich toen in. Met open mond staarde ze hem aan.

'Maar toen ben je veranderd,' zei hij. 'En je hield niet meer van jezelf.'

Maya zei nog steeds niets.

'Het is zwaar om van iemand te houden die het opgegeven heeft. En ik... Ik kan het gewoon niet meer.'

Jake stond op en liep naar haar toe. Eerst duwde ze hem weg. Toen trok hij haar tegen zich aan en hield haar stevig vast, precies zoals Rose ruim een jaar geleden had gedaan.

'Het spijt me,' fluisterde Jake. 'Het spijt me ontzettend.'

Nu had Maya niets meer. Jake was weg; ze had al meer dan een jaar niets geschreven en was bijna tien kilo te zwaar. Nadat Jake was vertrokken had ze twee dagen in bed hartstochtelijk liggen snikken. Ze huilde om alles wat ze kwijtgeraakt was.

Terwijl ze haar met tranen doortrokken kussen vastgreep, haar neus ophaalde en afveegde met de mouw van haar pyjamajasje tolden de woorden van Jake door haar hoofd tot ze er bijna van moest overgeven.

Natuurlijk had hij gelijk. En Rose, Sophie en Faith hadden ook gelijk. En ze had ze allemaal genegeerd. Jake had haar nooit gevraagd haar ziel te verkopen voor hun relatie. Dat had ze helemaal zelf gedaan, zo bang was ze om hem kwijt te raken. Want toen ze haar dromen opgaf, was hij alles wat ze nog had. Maar ook al had ze hem, ze voelde zich natuurlijk nog steeds eenzaam en verlaten, als een arm weeskind dat wanhopig iemand probeert over te halen om haar te adopteren. Dus niet een vrouw die weet wat ze waard is, die weet dat ze geniaal, magnifiek en zelfverzekerd is en daarom geen man hoeft over te halen om van haar te houden.

Maya snikte bij de herinnering aan hoe ze zich voelde aan het begin van hun relatie. Ze zag nu hoe haar angst haar veranderd had en haar hart brak. Ze had zichzelf volledig verraden en werd nu overmand door de duistere pijn van het totale, reddeloze gevoel van eenzaamheid.

De derde dag had Maya zich er met heel veel wilskracht toe kunnen zetten om weer naar het koffiehuis te gaan. Maar eenmaal daar zat ze alleen maar achter de toonbank te huilen. Er kwamen een paar klanten die ze door haar tranen heen bediende, maar de meeste mensen die de snikkende vrouw zagen zitten, liepen maar liever door.

Aan het einde van de week was Maya opgehouden met huilen en begonnen met eten. Dag na dag at ze zich een weg door de overgebleven brownies, taarten en plaatkoek in de vitrine. Ze deed geen poging meer om te stoppen. Ze kon de confrontatie met haar verdriet niet aan, ze had het gevoel dat haar hart zonder chocola doormidden zou breken.

Na sluitingstijd bleef Maya treuren om het verlies van Jake. Ze dwaalde rond door haar huis in een waas van herinneringen en tranen. Ze miste de manier waarop hij haar vasthield, luisterde en haar liefhad. En op momenten dat ze hem niet miste, wenste Maya dat ze zich niet zo had laten gaan, dat ze hem niet weggeduwd had, niet onder druk gezet had, net zolang tot hij haar niet meer wilde.

Op een avond, een extra wanhopige avond waarop Maya haar lakens doorweekte met haar tranen en zich eenzamer dan ooit voelde, bad ze om hulp. Ze bad tot God, tot de engelen, tot haar hart, tot de krachten in het heelal, tot alles en iedereen die haar mogelijkerwijs troost kon bieden en haar pijn verlichten. Toen ze uitgeput was van het huilen, viel Maya in slaap. En zodra ze sliep, begon ze te dromen.

Ze stond voor de deur van het koffiehuis. De straat was verdwenen en in plaats daarvan zag ze een eindeloos veld vol bloemen. Honderden soorten vochten om een plekje in de grond: witte lelies, rode rozen, zacht paarse lisianthus, rozige pioenrozen en miljoenen madeliefjes.

De kleuren en de bedwelmend zoete geur deden Maya glimlachen. Ze keek tot aan de horizon, waar de oceaan van bloemen samensmolt met de zonsondergang. De lucht weerspiegelde het veld in duizenden tinten, zodat Maya het idee kreeg dat ze in een uitzonderlijk mooi schilderij gestapt was.

Er verscheen een vrouw aan de horizon. Ze hing boven de bloemen en zweefde zachtjes op Maya af. Toen landde ze op de grond. Ze liep door het veld, waarbij ze zich voorzichtig een weg baande door de bloemen, de blaadjes aanrakend met haar vingertoppen.

Heel even, voor ze haar gezicht en figuur echt goed kon zien, dacht Maya dat de vrouw haar moeder was en ze riep haar naam. Maar meteen daarna zag ze dat het niet Lily was, maar Rose.

Maya glimlachte, een beetje teleurgesteld, maar toch blij. Ze omhelsden elkaar en Maya vleide haar gezicht in de warmte van de hals van de oude vrouw. Ze liet zich vasthouden als een kind. Maya haalde zacht en diep adem en wilde nooit meer loslaten, maar achter in haar hoofd kriebelde een herinnering die haar vertelde dat dit een droom moest zijn. Want Rose was zeker dertig centimeter kleiner dan Maya, dus kon ze haar onmogelijk zo vasthouden. Maar die gedachte drukte Maya weg, snel en moeiteloos, iets wat haar bij gedachten aan Jake nooit gelukt was. Zo bracht ze zichzelf terug in de troostende armen van Rose.

Ze hielden elkaar lange tijd vast tot ze plotseling loslieten en elkaar recht in de ogen keken. Pas toen merkte Maya dat ze boven het veld zweefden.

'Ik moet je iets vertellen,' zei Rose. 'Iets belangrijks.'

Maya keek haar aan en glimlachte. Ze zakten langzaam op de grond en gingen tussen de bloemen zitten, op zachte kussens van pioenrozen. Rose pakte Maya's hand.

'Je bent verdrietiger dan toen ik wegging.'

Maya keek naar beneden.

'Ik ben bang dat ik uw advies niet opgevolgd heb,' gaf ze zachtjes toe. 'Ik ging van een man houden voor ik mezelf liefhad. En dat is allemaal nogal akelig afgelopen.'

'Dat weet ik, liefje. Ik heb het allemaal gezien.'

'Echt waar?'

'Ik heb vaak geprobeerd om met je te praten, maar je luisterde niet.'

'Ik weet het. Sorry. Ik wilde naar niemand luisteren. Niet naar u, niet naar Faith, niet naar mijn eigen hart.'

'Je was verlamd van angst,' zei Rose vriendelijk. 'En dan kan ik alleen met veel erbarmen naar je kijken.'

'Meent u dat? Vind u niet dat ik compleet gestoord ben? Dat ik uw advies naast me neerlegde en me obsessief aan hem vastklampte terwijl ik wist dat het mijn hart zou breken. Want ik voel me al een hele tijd ongelooflijk dom. Ik heb een enorme fout gemaakt. Ik was ontzettend stom bezig.'

Rose bracht een vinger naar haar lippen.

'Ach liefje, pak jezelf alsjeblieft niet zo hard aan. Je hebt geen fout gemaakt. Fouten bestaan niet. Er zijn alleen levenslessen die je moet leren.'

Om haar heen glansden bloemblaadjes in de ondergaande zon. Maya haalde iets dieper adem, enigszins opgelucht door de woorden van Rose.

'Maar toch denk ik dat ik het anders had kunnen aanpakken,' zei Maya. 'Ik had het minder pijnlijk kunnen maken. Ik moest dingen leren over de liefde, over ware en valse liefde, maar...'

'En wat heb je geleerd?'

Ze had de laatste week aan bijna niets anders gedacht, dus dat wist Maya precies.

'Valse liefde is gewoon iemand anders willen, en ware liefde is willen dat iemand anders gelukkig is,' zei ze zachtjes. 'Het idee dat Jake mijn enige bron van vreugde was, werd een obsessie. Ik verlangde zo naar hem dat het me niet meer kon schelen wat *híj* voelde.' Maya lachte even. 'Het is geschift, maar uiteindelijk had ik hem bijna wel kunnen vermoorden omdat hij mijn liefde niet beantwoordde. En ik maar denken dat ik van hem hield!'

Die woorden beantwoordde Rose met zo'n stralende glimlach dat het wel leek of ze licht gaf.

'Dit is geweldig. Dat is een goede les.'

'Maar daar had u me al voor gewaarschuwd in het koffiehuis,' protesteerde Maya. 'Waarom kon ik toen niet luisteren en die les leren, zonder al die pijn?'

'Ach liefje,' zei Rose, en gaf Maya een kneepje in haar hand. 'Maak het jezelf niet zo moeilijk. Je hebt niets fout gedaan. De meeste mensen kunnen niets leren van een advies alleen. Natuurlijk hebben we adviezen nodig, want ervaring alleen, zonder begrip, leert ons niets. Maar mensen moeten de dingen ook zelf ervaren. Pas dan kunnen ze wijze woorden gebruiken om hun ervaringen vorm te geven en er enige zin in vinden.'

Maya luisterde. In de zachtheid van de droom dreven de woorden van Rose door de lucht, en ze bleven hangen, volkomen waar en waarachtig.

'Nu begrijp ik het,' zei Maya. 'Valse en ware liefde, verlangen en nodig hebben, geloven dat je de ander wanhopig lief hebt, terwijl je eigenlijk alleen maar aan jezelf denkt, gedreven door je eigen verlangens. Dat zal ik nooit meer doen.'

'Nou...' glimlachte Rose. 'Je begrijpt een hele hoop, maar nog niet alles.'

'Nee?'

'Over relaties moet je nog iets anders weten om je pijn voor erbarmen te kunnen omruilen. Dat zal je in staat stellen om Jake los te laten en jezelf terug te vinden.'

Maya ging rechtop zitten, aandachtig, haar handen diep in de deken van bloemen verzonken, al haar aandacht gericht op de belofte van minder pijn. 'Wat dan?'

Rose ging even verzitten, waardoor een paar bloemen onder haar vandaan omhoog floepten.

'Zit u wel lekker?' vroeg Maya, want ze besefte ineens dat ze daar al een tijdje zaten. 'Zullen we ergens anders naartoe gaan?'

'Ik kan alleen maar lekker zitten, liefje,' antwoordde Rose glimlachend. 'Dit is een droom.'

'O ja, dat is waar ook.'

'Maar maak je geen zorgen,' zei Rose alsof ze haar gedachten las. 'Alles wat ik zeg is evengoed waar.'

Maya glimlachte.

'Goed, wat je moet weten is dat relaties werken volgens emotionele wetten die net zo reëel en onwrikbaar zijn als natuurwetten, zoals de zwaartekracht,' vervolgde Rose. 'En in een relatie heb je je te houden aan die wetten, tot je verlicht bent.'

'Nou,' zei Maya, 'dat laatste zit er voorlopig niet in, dus zal ik nog steeds wel een speelbal van mijn emoties zijn.'

'Wacht even,' Rose stak een vinger op. 'Ik bespeur een tikkeltje harde zelfkritiek in je stem. Daar doen wij hier niet aan, hè. Hoe dan ook, zoals je hebt gemerkt toen je begon te schrijven: verlichting is een stuk makkelijker als je alleen bent dan wanneer er iemand bij is, vooral als dat een geliefde is.'

Maya zuchtte. 'Waarom dan wel?'

'Onze levenslessen worden uitvergroot als we een relatie hebben. Het is alsof je twee mensen bij elkaar zet in een snelkookpan vol behoeften, verlangens, angsten, oordelen en kritiek. Alles wat je jezelf aandoet, alles waarover je probeert te leren en wat je probeert te genezen, ga je de ander aandoen, en hij jou.'

Maya knikte. 'Pijn in het kwadraat.'

'Precies,' lachte Rose. 'Die twee mensen kunnen elkaar dan helpen om te genezen, of ze ontploffen.'

Maya kon een glimlach niet onderdrukken.

'Dus we brengen allemaal onze eigen lessen mee in een relatie,' vervolgde Rose. 'En dan ligt het eraan hoe dapper we zijn, in hoeverre we bereid zijn om te leren, of we ons best doen om tot een oplossing en genezing te komen met die ander.'

'Oké,' Maya dacht hier even over na. 'En wat zijn mijn lessen?'

'Je hebt er een heel stel, liefje. Dat geldt voor ons allemaal. Maar het voornaamste struikelblok tussen jou en Jake was behoefte.'

'Behoefte?' vroeg Maya, die er niet eens van stond te kijken dat Rose Jake bij naam kende, hoewel zij zijn naam nooit genoemd had. 'Tja, ik weet dat ik hem steeds meer nodig had, en dat ik hem op die manier juist wegduwde. Zo heb ik de relatie verpest.'

'Even afgezien van het feit dat je weer te hard voor jezelf bent,' zei Rose, 'is wat je zegt maar gedeeltelijk waar.'

'O ja?'

'Dat is nou net waarom mensen zo in de problemen raken. Ze kennen een stukje van de waarheid, maar ze denken dat dat alles is. Ze denken dat dat verklaart waarom ze vastzitten in zelfdestructieve gewoonten. Maar ze beseffen niet dat het niet de hele waarheid is, want als het dat wél was, dan zou die hen bevrijden.'

'O,' zei Maya verbijsterd. 'Vertelt u me dan alstublieft de rest ook.' Ze kon nauwelijks omgaan met het idee dat ze misschien nóg een hartverscheurend pijnlijke relatie zou moeten doorstaan en de waarheid dan nóg niet zou kennen.

'Maak je geen zorgen. Ik zal het je vertellen. Daarom ben ik hier.'

'Natuurlijk.' Plotseling begreep Maya het. 'U bent hier om mijn leven te redden.'

‘Ik ben hier om je de wijsheid te bieden zodat je je eigen leven kunt redden.’ Rose glimlachte. ‘Je moet hem wel in de praktijk brengen.’

‘Dat zal ik zeker doen, dat beloof ik. Heel zeker.’

‘Goed dan. Ik zal je vertellen wat ik weet.’

Rose opende haar handen en hield ze omhoog alsof er een bal lucht op haar beide handpalmen rustte.

‘Als we geboren worden, hebben we andere mensen heel hard nodig, simpelweg om te overleven. Maar als onze ouders ons in onze jeugd niet precies boden wat we dachten nodig te hebben, wilden we niet langer afhankelijk van ze zijn, terwijl we dat nog steeds waren. Begrijp je wel?’

Maya knikte. ‘Zo ongeveer.’

‘Dat zie je bij de meeste jongeren. Want zelfs de geweldigste ouders kunnen nooit aan alle behoeften van hun kinderen tegemoetkomen. Dat is totaal onmogelijk. Dat begrijp je later wel, als je zelf kinderen hebt.’

‘Dan moet ik eerst zorgen dat ik geen mannen meer afschrik,’ glimlachte Maya. ‘Dus ik weet niet zeker of dat er ooit van gaat komen.’

‘We zullen zien,’ lachte Rose. ‘Maar goed, wat de redenen ook zijn, ouders kunnen hun kinderen twee dingen meegeven: verlatingsangst of verstikkingsangst.’

‘Huh?’ Maya keek bedenkelijk.

‘Jij hebt die eerste angst, omdat je vader je in de steek heeft gelaten. En Jake had de tweede angst omdat zijn moeder hem volledig verstikte en hij zo snel mogelijk wilde ontsnappen.’

Maya knikte. ‘Dus we vulden elkaar volledig aan.’

‘Ja, zo werkt dat in een relatie. De levensles is niet dat je met elkaar in balans komt, maar dat je een balans in jezelf moet vinden.'

Maya zuchtte. 'Was me dat maar gelukt.'

'Maar misschien is het in dit geval wel helemaal niet mislukt. Dat een relatie fout loopt, betekent niet dat zij mislukt is. Stel nou dat het gewoon geen succes kón worden, dat Jake simpelweg niet de ware voor je was. Dan heeft hij je geholpen om een duidelijker beeld van jezelf te krijgen. De ervaring was volmaakt, net zoals jijzelf. Als je de psychologie achter liefdesrelaties begrijpt, geeft dat je niet per se een toverformule om al die relaties goed te krijgen. Het is een geschenk als we ons hart kunnen genezen en zo een langdurige liefde met de juiste persoon tot stand brengen. Maar sommige relaties zijn gewoon niet bedoeld voor de eeuwigheid.'

Maya luisterde zo aandachtig dat ze niet eens merkte dat ze was gaan huilen. Toch voelde ze geen pijn, alleen een zacht schrijnend verdriet. Alsof ze in haar emotie gestapt was, als een windvlaag die onverwacht zacht en warm bleek te zijn.

'Het doet geen pijn,' zei Rose terwijl ze naar haar keek. 'Want je staat jezelf toe om het te ervaren. Je verzet je er niet tegen. Verdriet is een fijne emotie als we het toelaten. Het herinnert ons eraan dat we echt leven. Het doet pas pijn als je je verzet tegen je verdriet, als je je best doet om het niet te voelen.'

Maya knikte en huilde, terwijl zachte wolkjes verdriet door haar lichaam schoten. Toen was het over. Maya lachte, plotseling liep ze over van vreugde.

'En dan nog iets,' zei Rose. 'Als je jezelf toestaat om het te voelen, kom je vanzelf terug in je natuurlijke staat van rust en geluk.'

'Wauw,' glimlachte Maya. 'Dat is geweldig.'

'Dat is het leven,' zei Rose. 'Maar we moeten nog meer bespreken. En zo lang heb ik niet meer, want je wordt zo wakker.'

'Ga alstublieft nog niet weg. Ik moet de hele waarheid begrijpen, ik moet weten wat er precies tussen mij en Jake is gebeurd. Alstublieft. Ik kan dat niet... Ik kan dat echt niet nog een keer doormaken met iemand anders. Ik denk niet dat ik dat aankan.'

'Maak je geen zorgen. Ik ga niet weg voor ik het je verteld heb. Maar we moeten opschieten.'

Maya knikte.

'Als mensen vanuit hun karakter leven,' vervolgde Rose, 'denken ze dat ze anderen nodig hebben om gelukkig te zijn. Dat is volkomen normaal, het kan geen kwaad en het doet geen pijn, behalve als we die gevoelens ontkennen. Dan wordt het een warboel en gaat het pijn doen.'

'Hoe dat zo?'

'Luister liefje, zoals alle stellen die elkaar zó nodig hebben dat ze er ongemakkelijk van worden, speelden Jake en jij een spelletje. Stel je jullie behoefte aan elkaar even voor als een hete aardappel die jullie heen en weer gooiden omdat jullie hem geen van beiden wilden vasthouden.' Rose stak haar kleine handjes weer in de lucht alsof ze twee dingen voorzichtig vasthield.

'In een evenwichtige relatie heb je allebei vijftig procent in handen van wat je van elkaar wilt en nodig hebt. Maar toen jij ophield met schrijven en alle andere dingen die je zo graag deed, sloeg de balans bij jou en Jake door naar jouw kant en begon jij steeds meer te voelen.'

'En hij voelde steeds minder?'

'Precies. Dus toen jij zeventig procent in handen had, voelde hij nog maar dertig procent. Net zolang totdat jij alles in handen had en hij er niets meer van voelde. Op die manier raakt een relatie volledig uit balans.'

Maya zuchtte. 'Wat vreselijk.'

'Nee hoor,' glimlachte Rose. 'Dit is de sleutel naar je vrijheid. Die behoefte die je voelde, was niet alleen de jouwe. Je had die van hem er ook nog eens bij. Je had je normale vijftig procent, plus die van hem.'

'Dus ik voelde me honderd procent behoeftig?'

'Juist.'

'Maar dat ben ik niet?'

'Natuurlijk niet. Toen je je boek aan het schrijven was, had je toch ook geen mensen nodig?'

'Nee. Helemaal niet. Toen was ik volkomen gelukkig in mijn eentje.'

'Dat bedoel ik.'

'Dus toen ik lag te snikken op de keukenvloer en dacht dat ik dood zou gaan als hij bij me wegging, waren die gevoelens niet echt, niet waarachtig?'

Rose glimlachte. 'Nu begin je het te begrijpen.'

'Dat is ongelooflijk. Ik...'

'Mensen spelen spelletjes met elkaar, ze beseffen het alleen zelf niet,' legde Rose uit. 'Een van de twee, meestal de vrouw, voelt het grootste deel van de behoefte, of zelfs alles. Daardoor voelt de ander, meestal de man, het niet. En als de balans te veel doorslaat, denkt zij dat ze hem volledig nodig heeft, terwijl hij denkt dat hij haar helemaal niet nodig heeft.'

'Maar waarom werkt het zo? Met mannen en vrouwen, bedoel ik.'

'Nou ja, dat is natuurlijk niet altijd het geval. Maar meestal ligt het aan de manier waarop we zijn opgevoed. Afwezige vaders kweken dochters die gewend zijn om zich behoeftig te voelen, dus die rol nemen ze in hun eigen relaties sneller aan. Dominante moeders kweken zoons die afstand willen om hun grenzen te kunnen aangeven, dus die nemen eerder de rol op zich van de partner die ervandoor wil.'

'O, nu begrijp ik het.'

'Dat is mooi,' glimlachte Rose. 'Want als je het eenmaal ziet, als je het weet tot in het diepste van je botten, dan weet je de eerstvolgende keer dat het gebeurt dat het niet echt is en dan kun je er iets aan doen. Alsof het een shot heroïne is waar je nee tegen zegt.'

'Het is dus net zoiets als drugs?'

'Klopt. En als je dat weet, ben je vrij. Dan verdwijnen die valse gevoelens gewoon. Dan denk je niet meer dat je een man nodig hebt en kun je er daadwerkelijk eentje liefhebben.'

'Dat is fantastisch,' grijnsde Maya. 'Kon u dat elke vrouw ter wereld maar influisteren.'

'En elke man,' zei Rose. 'Ik doe mijn best, maar ze luisteren meestal niet.'

Maya glimlachte en opende haar mond om nog iets te vragen. Maar Rose bracht een vinger naar haar lippen en zweeg. Ze keken elkaar aan, hielden elkaars blik vast zonder weg te kijken. Stukje bij beetje gleed Maya weg naar een diep niveau van begrip. In de ogen van Rose zag ze veel van de waarheden waar ze al haar hele leven naar op zoek was. Ze was compleet. Ze had werkelijk niets nodig. Ze had alles. Ze was alles: een volmaakt stukje van God.

Toen was Rose verdwenen. Maya was alleen en keek uit over het veld vol bloemen. Ze vroeg zich af of ze Rose ooit nog zou zien. Plotseling miste ze de oude dame en haar moeder. En toen besefte Maya het. Rose was Lily. En Lily was Rose. En Rose en Lily schuilden in iedereen die ze ooit had ontmoet. Liefde schuilt niet in één enkele persoon, in één enkele man. Liefde is overal. Alleen had ze dat nooit eerder gezien, omdat ze niet goed had gekeken.

Maya deed haar ogen open, klaarwakker, staarde naar het plafond en liet alles even bezinken. Nog nagenietend van de onbegrensde heerlijkheid van de universele liefde kon Maya niet geloven dat ze zo gefixeerd was geweest op Jake dat ze erdoor verblind was geraakt.

Ze omarmde zichzelf lachend. Donut schrok van het geluid en sprong op met de oren in de nek. Maya gaf de kat een handkusje.

'Hallo vriendje, lekker dik bontvachtje van me!'

Ze gooide het dekbed van zich af en sprong uit bed, waardoor Donut van het bed af gleed en treurig omhoog keek.

'Hup, mopperkont.' Maya glimlachte.

Ze pakte de kat op, liep de woonkamer in en viel neer op

de bank. Ze knuffelde en aaide Donut, die spinnend en wel zo grootmoedig was haar haar wandaad te vergeven. Maya voelde zich vrolijk en als herboren. Glimlachend staarde ze in het niets. Na een tijdje sprong Donut van Maya's schoot, stak het tapijt over, sprong op een bureau dat in een hoekje verscholen stond en begon te miauwen. Maya schrok op uit haar dagdroom en keek naar de kat die betekenisvol met haar staart zwaaide.

'Wat is er? Wat wil je?'

Donut bleef maar miauwen.

'Heb je honger? D toch, je bent al net zo erg als het vrouwtje.'

Maya sleepte zichzelf van de bank en liep naar de keuken, maar halverwege de kamer bleef ze staan. Ze keek om naar Donut, die niet van haar plaats was gekomen. Meestal sprong de kat op om haar naar de keuken te volgen. Maya voelde een vreemde rilling over haar rug gaan. Ze liep naar het bureau en tilde Donut op.

'Wat wil je nou vertellen?' vroeg Maya, terwijl ze de spinnende kat aaide.

Ze keek naar het bureau. Toen deed ze de lade open, zonder te weten waarom. Daar lag haar manuscript, al een jaar lang onaangeroerd. Maya zuchtte en glimlachte. Ondanks alle teleurstelling die het boek haar gebracht had, was de herinnering aan het schrijfproces nog steeds magisch. Maya liet Donut uit haar armen springen en pakte het manuscript op. Ze nam het mee naar de bank. Daar zat ze er een tijdje naar te staren. Ze streelde de kaft en nam alles in zich op. Toen sloeg ze het open op de eerste pagina.

Twee uur later sloeg Maya de laatste pagina om en sloot haar ogen. Ze knipperde en zag dat Donut naast haar zat.

'Weet je wat, schoonheid?' zei Maya tegen de kat. 'Na al die afwijzingen wilde ik het eigenlijk nooit meer zien, maar ik vond het eigenlijk best goed. Sterker nog, ik vond het geweldig.'

Maar zodra ze het uitsprak, voelde Maya de twijfel knagen. Wie was zij wel om te denken dat het de moeite waard was? Ze was immers de auteur en dan was het logisch dat ze het zelf goed vond. Dertig literair agenten en uitgevers, stuk voor stuk experts op hun gebied, konden er toch niet naast zitten.

'Nou ja,' zuchtte Maya. 'Het maakt niet uit wat ik ervan vind, want dat verandert toch nergens iets aan. Als de rest van de wereld mijn boek waardeloos vindt, dan is dat het enige wat telt.'

Maya's hart kromp in elkaar. Het deed ongelooflijk veel pijn dat haar dromen op niets waren uitgelopen en daarin berusten maakte het echt niet beter.

Toen schoot er een straal licht door de duisternis. Maya besefte dat ze de afgelopen twee uur geen moment aan Jake had gedacht. En ze wist dat haar creativiteit nog steeds belangrijk voor haar was, ook al vond de rest van de wereld het totaal niet van belang.

Toen ze terug naar bed ging, kon Maya niet slapen. Maar ze lag niet aan Jake te denken, of aan chocola. Ze lag aan haar boek te denken.

Die ochtend stond Maya om een uur of vijf weer op. Ze liep naar de bank waar Donut boven op het manuscript lag.

'Jij weet hoe belangrijk dit voor mij is, hè?' zei Maya. Ze

tilde de kat op om haar boek te pakken. 'Soms denk ik dat jij meer om mij geeft dan ik om mezelf.'

Maya ging terug naar bed, legde het manuscript onder haar kussen en viel in een diepe slaap.

Toen ze de volgende avond het koffiehuis had gesloten, nam Maya de bus naar Sophie's huis. Ze had niet gebeld om een afspraak te maken, of zelfs om te kijken of Sophie wel thuis was. Maya's vraag zat haar zo dwars dat ze maar gewoon hoopte dat Sophie thuis zou zijn.

Toen Maya in de buurt kwam, had ze geen idee waar ze de moed vandaan moest halen om aan te kloppen, maar ze wist dat ze niet anders kon. Ze had het afgelopen jaar alle hoop opgegeven waar het haarzelf betrof en dat moest ophouden. Als ze echt wilde leven, en niet alleen maar overleven, dan mocht ze niet meer toegeven aan haar angsten.

Maya liep Sophie's straat in en keek uit naar haar huis, op zoek naar het paarse uithangbord. Maar dat hing er niet meer. Maya stond sprakeloos en teleurgesteld op de stoep. Dit had ze niet verwacht.

Toen vermande ze zich. Dit was niet het moment om toe te geven aan negatieve gedachten. Maya ging naar de deur, haalde een keer diep adem en klopte aan.

Na een tijdje, toen ze net op het punt stond om weg te lopen, ging de deur open. Ze draaide zich om en zag een man in de deuropening staan.

'Hallo. Sorry dat ik u stoor,' zei Maya. 'Ik was eigenlijk op zoek naar Sophie.'

De man was zo'n twintig jaar ouder dan Maya, lang en aantrekkelijk, met een vriendelijke, flirtende blik.

'Je stoort me helemaal niet, hoor.'

'Gelukkig maar,' zei Maya. 'Is ze hier?'

'Ze is een jaar geleden vertrokken. Ze woont nu in Arizona.'

Maya was zo verbijsterd dat ze geen woord kon uitbrengen.

'Ik heb het huis gekocht.' Hij glimlachte. 'Ze gaf me een geweldige prijs.'

'Goh.'

'Kan ik iets voor je doen?

'Nee hoor. Sorry. Niks aan de hand. Niks aan de hand.'

'Oké. Nou, fijne dag dan maar.'

Maya keek in zijn groene ogen. Hij deed haar heel even aan Rose denken.

'Dank u wel,' zei Maya. 'U ook een fijne dag.'

Maya ging op een bankje aan de overkant van de straat zitten. Ze staarde naar het huis van Sophie, overmand door teleurstelling, zonder enig idee wat ze nu moest doen. Zo bleef ze zitten wachten tot zich een beter idee voordeed.

Na ongeveer een uurtje ging de voordeur weer open. De man kwam naar buiten. Maya keek op en zag weer hoe knap hij was. Toen moest ze aan Jake denken. Maya merkte dat die gedachte dit keer gelukkig geen aanleiding was voor tranen, maar voor een glimlach.

Maya zag hem oversteken en besefte toen pas dat hij naar haar toe kwam. Plotseling kreeg ze de zenuwen. Ze vroeg zich af of ze zich niet beter uit de voeten kon maken. Maar toen was het te laat. Hij stond al voor haar.

'Hallo,' zei hij. 'Ik ben Bill.'

'Hallo,' zei Maya, een tikje nerveus.

'Ik zag je zitten, door het raam. Je zat er een beetje verloren bij. Ik kwam even kijken of alles wel goed was.'

'Jawel, hoor,' zei Maya net iets te snel.

'Was je een van Sophie's klanten?'

'Nee, niet echt.'

'Nou, misschien kan ik je helpen.'

'Hoezo? Ben jij een medium dan?'

'Nee, maar ik help wel af en toe mensen uit de brand.'

'O, maar ik heb geen hulp nodig,' zei Maya.

Bill trok verbaasd een wenkbrauw op. Toen bedacht Maya dat weerstand nooit iets goeds opleverde, en hoe ze in haar angst voor intimiteit bijna haar ongelofelijke ervaringen met Rose en Sophie had gemist.

'Nou ja, eigenlijk wel,' gaf Maya toe. 'En als je weet hoe je een kapot leven kunt repareren, dan kan ik je advies wel gebruiken.'

Bill glimlachte en ging zitten. 'Vertel.'

'Weet je het zeker? Want ik zit best een beetje in de knoop.'

'Nou, dat kan ik wel aan, denk ik.'

'Oké, dan moet je het zelf weten.' Maya glimlachte even. 'Goed, het is net uit met mijn vriend, maar daar heb ik wel vrede mee. Ik werk in mijn koffiehuis om mijn schulden af te betalen, maar eigenlijk wil ik schrijven. O, en ik ben de laatste drie maanden minstens tien kilo aangekomen.'

'Juist ja.'

'En ik ben bang, want ik weet niet wat ik eraan moet doen.'

'Hmm,' zei Bill peinzend. 'Ik dacht al dat je een beetje

verloren was. Nu snap ik wat er aan de hand is.'

'Wat dan?'

Het klinkt alsof je jezelf kwijtgeraakt bent doordat je het geluk zocht in dingen buiten jezelf.'

Maya zuchtte terwijl ze deze waarheid liet bezinken. Toen glimlachte ze. 'Weet je zeker dat je geen medium bent? Het is net of ik Sophie hoor praten.'

'Is dat zo?' vroeg Bill. 'En wat zei zij dan?'

'Dat ik in mezelf moest geloven en dapper moest zijn,' zei Maya. 'En dat heb ik ook gedaan. Ik heb een maand vrijgenomen om een boek te schrijven. Ik heb geprobeerd om een uitgever te vinden, maar het is me niet gelukt.'

'Wat is je niet gelukt?'

'Om schrijver te worden.'

'Serieus?' vroeg Bill. 'Ben je bijna dood dan?'

'Wat? Nee! Waarom zeg je dat?'

'Je kunt toch niet zeggen dat iets je niet gelukt is vóór je dood bent. Of tot je alles hebt geprobeerd; en je hebt niet echt alles geprobeerd tot je dood bent. Dus je hebt het misschien opgegeven, maar je kunt niet zeggen dat het je niet gelukt is.'

Ondanks alles moest Maya lachen om zijn absurde redenering.

'Goed, ik ben dus nog niet dood. Wat denk jij dan dat ik moet doen?'

Hier dacht Bill even over na.

'Doortastender zijn.'

'Pardon?'

'Je moet doortastender zijn. Als het leven niet loopt zoals jij dat wilt, is dat meestal niet een teken dat je het moet opgeven, maar een teken dat je doortastender moet zijn.'

'Meen je dat nou?

'Ja, absoluut. Blijf niet steeds dezelfde dingen proberen, maar doe eens iets radicaals, iets moedigs, iets fris, iets nieuws.'

'Weet je het zeker?' Maya keek bedenkelijk. 'Dat klinkt een beetje raar.'

'Ik weet dat veel mensen het opgeven als het tegenzit in het leven, maar dat is nou net het moment om alles uit de kast te trekken. Als je het gevoel hebt dat je op je bek gegaan bent, moet je juist een nieuwe sprong wagen.'

'Maar waarom?' kreunde Maya. 'Waarom is het allemaal zo moeilijk?'

'Nou, daar heb ik wel een theorie over.'

'Echt waar?' Maya vond het erg intrigerend.

'Ik denk dat we allemaal worden geboren met een doel. Iets wat we heel graag willen, een bron van oprechte vreugde.'

Maya knikte. 'Voor mij is dat schrijven.'

'Precies. En dat doel – om een inspirerend werk te schrijven – is de beloning die je motiveert in het leven. Het stimuleert je om de uitdagingen aan te gaan die je een magnifieke inspiratiebron voor anderen maken. Maar daarom is het juist zo moeilijk. Want als het makkelijk was, zou je anderen dan nog iets te leren hebben? Wat voor inspiratie zou je dan kunnen bieden?'

'Juist ja,' peinsde Maya. 'Ja, daar zit wel wat in. En wat zijn die uitdagingen dan?'

'Alles wat je moet doen om tot je doel te komen.'

'Kun je iets specifieker zijn?' vroeg Maya met een poging tot een innemende glimlach.

'Ik merk vaak dat die uitdagingen, die zielslessen, precies de dingen zijn die ons het zwaarste vallen. De dingen die we absoluut zouden ontwijken als het maar enigszins mogelijk zou zijn.'

'Sodeju, waarom dat dan?'

'Dat weet ik niet precies,' gaf Bill toe. 'Maar volgens mij is het omdat het de bedoeling is dat we afgeronde, complete wezens zijn. Dus als we iets ontwijken, dan is dat juist iets waarmee we de confrontatie moeten aangaan.'

'O, op die manier.'

'Ik denk dat moed jouw voornaamste les is. Ik denk dat je ervoor moet gaan, dat je maximale moed moet tonen. Als je dat eenmaal doet, zul je je doel bereiken.'

Maya zuchtte. Hoe hard ze het ook probeerde te ontkennen, hoe diep ze haar kop ook in het zand stak, het leek wel alsof er aan deze uitdaging niet te ontkomen viel.

'En als je je uitdagingen aangaat en jezelf overwint,' vervolgde Bill, 'dan is je beloning het leven waar je zo naar verlangt.'

Maya knikte weer. Ze gaf het niet graag toe, maar ze wist dat het waar was.

'Het was dapper om een maand vrij te nemen om je boek te schrijven. Ik geloof best dat het eng was, maar ik denk dat het geweldig voelde. Ja, toch?'

'Ik voelde me beter dan ooit.'

'Prachtig.' Bill glimlachte. 'Maar als een uitgever je boek zomaar geaccepteerd had, dan had jij helemaal geen moed meer hoeven tonen, toch?'

'Ik denk het niet,' gaf Maya toe.

'Dan lijkt het me dat je deze uitdaging nog niet helemaal overwonnen hebt. Je moet het leven in blijven stappen tot je op de top van je moed bent. Waarschijnlijk ontdek je dan dat het jou vreugde brengt om zo moedig en schitterend mogelijk te zijn.'

'Denk je?' grijnsde Maya. 'En hoe pak ik dat aan?'

'Je zou kunnen beginnen met een beetje visualiseren,' bedacht Bill. 'Stel jezelf voor als een werkelijk magnifieke vrouw, geen slachtoffer, niet iemand die vastzit binnen haar grenzen en angsten, maar iemand die het leven vastgrijpt en er alles uithaalt wat erin zit.'

'Dat klinkt geweldig.'

'En wat zou die vrouw nu doen?'

'Dat weet ik niet precies.' Maya haalde haar schouders op.

'Misschien dat boek zelf uitgeven?'

Maya lachte, tot ze merkte dat Bill het echt meende.

'Dat kan ik niet.'

'Waarom niet?'

'Nou, om te beginnen heb ik er het geld niet voor. En bovendien verdient het boek het blijkbaar niet om uitgegeven te worden, want anders had iemand het intussen wel gedaan.'

'Is dat zo?'

'Natuurlijk. Denk ik. Lijkt me. Ik weet het niet.'

'Precies.' Bill glimlachte. 'Dan is het dus nu tijd voor een volgende dappere stap. Op weg om die magnifieke vrouw te worden waarvoor jij in de wieg gelegd bent.'

'Geloof je dat echt?'

Maya keek hem ongelovig, haast argwanend aan. Bill keek haar aan zonder met zijn ogen te knipperen.

'Zonder enige twijfel.'

Die avond zat Maya in het koffiehuis naar haar manuscript te staren. Ze wist dat ze één ding kon doen, als ze het echt heel graag wilde. En het was zoals Bill had gezegd: gewoon een kwestie van in jezelf geloven en dapper zijn.

Het koffiehuis verkopen was eigenlijk nooit eerder bij Maya opgekomen. Ze had wel overwogen om er zelf uit te stappen en iemand in te huren om het te runnen, maar dan zou het misschien nog tientallen jaren langer duren om de schulden af te betalen. En ze voelde zich ook nog steeds gebonden aan de droom van haar moeder en wilde haar nagedachtenis niet beschamen. Maar boven alles had ze gewoon nooit geweten wat ze dan moest doen. Zonder universitaire opleiding lag de wereld nou niet bepaald aan haar voeten en elke keer dat ze had overwogen om haar studie weer op te pakken, stond haar faalangst haar in de weg.

Nu Maya zat te piekeren over de stap die ze misschien wel ging nemen, werd ze opnieuw gegrepen door angst. Die andere ideeën waren tenminste nog verstandig geweest. Terug naar de universiteit was dan wel geen garantie voor tevredenheid in het leven, maar het zou waarschijnlijk wel leiden tot een zekere stabiliteit. Haar zwaar onder schulden gebukt gaande koffiehuis verkopen om haar boek te publiceren, een boek dat was afgewezen door alle uitgevers en literair agenten waar ze het aan gestuurd had, was een doodeng idee. Het was een krankzinnig plan. Als het mislukte, zou ze alles kwijt zijn.

Uitgeput door al deze negatieve gedachten viel Maya uiteindelijk in slaap, met haar manuscript als kussen op de tafel.

Uren later werd ze wakker, met haar ogen knipperend in het zachte ochtendlicht. Heel even vergat Maya haar gedachten van de vorige avond. Toen zonk de moed haar in de schoenen. Maar tegelijkertijd voelde ze zich opgewonden bij het idee dat ze eindelijk een werkelijk moedige stap zou gaan zetten, waarmee ze respect en bewondering voor zichzelf zou afdwingen.

Maya grijnsde, plotseling was alle angst vergeten. Ze was intens gelukkig, kon de hele wereld aan en was overal klaar voor. Het was hetzelfde gevoel als een jaar geleden, toen ze het koffiehuis sloot om haar boek te schrijven.

Op dat moment besefte Maya iets. Als dit geluk mogelijk was; als het alleen maar moed kostte om het weer te laten oplaaien, dan kon ze niet meer terugvallen in ellende. Niet in de wetenschap dat de keus aan haarzelf was. Dat zou gewoonweg te tragisch voor woorden zijn.

Binnen een paar minuten, vóór ze echt wakker kon worden en haar rationele gedachten de overhand zouden krijgen, rende Maya naar boven. Op haar keukentafel maakte ze haastig een bordje met *Te Koop* erop. Ze rende terug naar beneden en hing het aan de deur van het koffiehuis, vlak boven de openingstijden. En toen maakte ze zich klaar om de zaak te openen.

Nu ze achter de toonbank zat en af en toe klanten van koffie en taart voorzag, kon Maya niet geloven dat ze het echt had gedaan. Haar vaste klanten schrokken van het nieuws en zeiden dat ze hun geliefde chocoladeplaatkoek en de cacaoboontjes in hun cappuccino zouden missen.

Een paar keer per uur weerstond Maya de neiging om naar de deur te rennen en het bordje eraf te trekken. Om zichzelf af te leiden met iets anders dan eten stortte Maya zich op research naar het zelf uitgeven. Ze zat aan de toonbank met haar laptop en ging na wat er allemaal mogelijk was.

Het was bepaald niet goedkoop, maar ze had ook niet anders verwacht. Maya had geen idee hoeveel ze voor het koffiehuis zou kunnen krijgen, vooral omdat er een torenhoge schuld op rustte en het dus geen geweldige investering was. Maar ze dacht wel dat de opbrengst genoeg zou zijn om de kosten te dekken, al wist ze niet wat ze daarna in vredesnaam zou moeten doen, als ze geen geld meer had en met een enorme stapel onverkochte boeken zat.

Maar Maya hield zich vast aan wat Bill had gezegd, over haar uitdagingen, over moed, over dat ze een magnifieke vrouw was. En op dit moment leken al die dingen veel belangrijker dan geld of zekerheden of wat dan ook.

Naarmate de dag voorbijgleed, merkte Maya dat ze de chocola niet alleen liet staan omdat ze een beetje misselijk was van angst. Ze had er werkelijk geen trek in. Op dat moment, kijkend naar de vanille-aardbeikoekjes, chocolademakrons en koffie-eclairs, besefte Maya dat ze geen macht meer over haar hadden. Nooit gehad, eigenlijk.

Haar overweldigende verlangen naar die lekkernijen had niets te maken met de zoete vulling, de zachte baksels of het romige glazuur. Het ging eigenlijk om haar verlangen naar een beter leven: een leven dat zo magnifiek was dat ze nauwelijks nog lucht kreeg. Dát was waar Maya eigenlijk naar verlangde als ze een stuk taart pakte, een klein hapje geluk.

Maar natuurlijk was het vluchtige genot van voedsel maar een armzalig surrogaat voor het diepe, eeuwige genot van een schitterend leven. En dat gold ook voor liefde en geld. Als onderdeel van een prachtig leven was het misschien allemaal geweldig, maar zonder dat prachtige leven had je er niets aan.

Nu viel het muntje bij Maya: toen ze haar leven op die manier inrichtte, toen ze haar boek schreef, toen ze besloot het koffiehuis te verkopen, had ze niet naar koekjes getaald. Die waren ineens naar de achtergrond geschoven tot ze niets meer dan franje waren geworden in het leven. Daar had ze ooit de hele dag aan lopen denken, en ze had haar uiterste best moeten doen om er weerstand aan te bieden. Dat idee kwam haar nu belachelijk voor. Maya zat aan de toonbank en lachte om de macht die ze die denkbeeldige verlangens over haar werkelijke dromen had gegeven.

Tegen zes uur had Maya de juiste uitgeverij gevonden voor haar boek. Glimlachend schakelde ze haar laptop uit en liep naar de deur om af te sluiten. Toen ze het bordje omdraaide, zag ze door de etalageruit Tim langslopen. Maya zwaaide, maar hij kon haar niet zien en ze deed de deur open.

'Hoi.'

Tim keek op en grijnsde toen hij haar zag. Maya ademde diep in. Ze had hem meer dan een jaar niet gezien en was vergeten hoe knap hij was. Of misschien had ze het door haar fixatie op Jake gewoon nooit eerder opgemerkt.

'Je bent er gewoon. Je leeft dus nog,' riep Tim uit. 'Hoe gaat het? Waar heb je al die tijd gezeten?'

'Ik eh... Ik heb m'n videoconsumptie even wat omlaag geschroefd.'

'Ik heb je gemist, jou en je taarten.'

Maya voelde ineens sterk de neiging om hem te zoenen. Nadat ze maandenlang had geprobeerd om Jake's aandacht terug te krijgen, was het een opluchting om iemand te zien die duidelijk wél interesse had.

'Ja, ik heb jou ook gemist.'

Toen zag Tim het bordje.

'Ga je The Cocoa Café verkopen? Niet te geloven. Waarom?'

Ze haalde haar schouders op, want ze geneerde zich voor haar idiote plan. 'Ik eh... Ik heb gewoon het idee dat dit het goede moment is.'

'Hoeveel wil je ervoor hebben?'

Weer haalde Maya haar schouders op. Hoe kon ze zich nu op de financiën concentreren terwijl Tim er zo lekker uitzag.

'Dat weet ik nog niet echt. Niet veel. Ik kijk wel wat er geboden wordt, denk ik.'

'Pas maar op dat je niet afgezet wordt.'

'O, het is niet veel waard, hoor. Meer dan een naam en een reputatie is het niet. Er rusten nog allerlei schulden op...'

'Verkoop je het inclusief het appartement?'

'Nee, dat huur ik. Hoezo?'

'Juist ja. Oké, wat dacht je van honderd mille? Alleen kan ik je nu niet meer dan tien mille geven. De rest komt over een half jaar. Nou?'

'Sta je me nu te dollen?'

'Nee, natuurlijk niet,' zei Tim. 'Ik meen het echt. Deze zaak is ideaal voor een tweede videotheek. We hebben vorig jaar goede zaken gedaan, dus nu gaan we uitbreiden.'

'Je gaat uitbreiden?' zei Maya, enigszins in de war. 'Ik dacht dat je daar in dienst was.'

'Nee, het is mijn eigen zaak. Nou ja, ónze zaak.' Tim stak zijn hand op om zijn trouwring te laten zien. 'Mijn vrouw heeft er ook een belang in.'

Dit was zo'n schok voor Maya dat ze zich moest vasthouden aan de deurpost.

'Je v-vrouw?' stamelde ze. 'Ben jij getrouwd?'

'Ja, drie maanden alweer.'

'Goh, ik... wauw, wat... geweldig. Waar hebben jullie elkaar ontmoet?'

'Ze was een klant van me.' Tim glimlachte. 'Ze bleef maar komen en zo raakten we aan de praat. En toen werden we verliefd.'

'Zo, wat... ontzettend leuk voor je,' zei Maya. Het liefste zou ze door de grond zakken en een potje huilen.

'Vicky is geweldig.' Tim grijnsde. 'En ze is dol op SFfilms. Dat is zo'n beetje de basis van onze liefde. Ik heb jou nooit kunnen overtuigen van de charme van *Star Wars*, hè?'

Maya schudde het hoofd en glimlachte zwakjes.

'Maar goed, wat denk je van mijn bod?'

Maya kon nu even nergens over nadenken, dus ze knikte maar wat. Het liefst zou ze het geld grijpen en de benen nemen. Ze moest hier weg, weg uit het koffiehuis, weg uit deze stad, weg uit dit land.

Maya voelde ineens de drang om net als Sophie naar Arizona te gaan, om opnieuw te beginnen, om te leven als een magnifieke vrouw, zonder herinneringen.

'Ja, nou ja, het is... Het is een prima bod,' wist Maya eruit te persen. 'Maar aangezien ik nog steeds zo'n tachtig mille schuld heb, is het niet echt...'

'Juist ja,' zei Tim peinzend. 'En als ik die schulden nou overneem, dan hou je nog steeds twintigduizend over. Hoe klinkt dat?'

Maya knikte langzaam. Het drong niet echt tot haar door.

Het ging allemaal zo snel. Ze had gedacht dat het maanden zou duren voor iemand een bod zou uitbrengen, en nog langer voor ze werkelijk geld in handen zou krijgen, waardoor ze nog tijd genoeg had om zich op het laatste moment nog te bedenken.

Maar daar stond ze nu, op het punt om een mondelinge overeenkomst te sluiten. Blijkbaar was haar geen tijd gegund om deze beslissing nog even te laten pruttelen.

Nadat ze alle voorwaarden besproken hadden en Tim vertrokken was met een doos vol koffie-eclairs, jasmijnmakronen en chocoladeplaatkoek, ging Maya zitten. Ze kon nauwelijks geloven wat ze had gedaan. En dat Tim getrouwd was, kon ze al helemaal niet geloven.

Het was vreselijk om te beseffen dat haar verslaving aan niet-beschikbare mannen de kop weer opstak. Eerst Jake en nu Tim, een man die Maya absoluut nooit had zien staan tot het moment dat hij háár niet meer zag staan. Maya vroeg zich af wat haar in vredesnaam mankeerde.

Maar toen dacht ze plotseling terug aan haar inzicht over chocolade en ze besefte dat er niets mis was. Ze had het een eng idee gevonden om de zaak te verkopen en haar boek uit te geven en had zichzelf heel even van die angst afgeleid met de hoop op een romance.

Maya haalde opgelucht adem. Als ze zich in een relatie met Tim had gestort, zou dat net zo'n relatie geworden zijn als die ze met Jake had. Dan had ze hem gebruikt, net zoals ze taart gebruikte om niet de fantastische, angstaanjagende stap te hoeven zetten op weg naar het vervullen van haar diepste hartenwens. Zoals ze was gestopt met schrijven en bij de gratie van Jake was gaan leven, zou ze nu het uitgeven van haar boek stopgezet hebben om te gaan leven bij de gratie van Tim. Jezelf verliezen in een relatie was dan wel pijnlijk, maar het leek haar kennelijk veiliger dan de wereld in gaan en enorme risico's te nemen om haar dromen waar te maken.

Nu ze zag hoe haar verslaving in elkaar zat, moest Maya lachen. Ze had steeds weer geprobeerd om een man te gebruiken als vangnet. Ze was niet op zoek geweest naar een zielsverwant – iemand die haar zou aansporen om haar geest de vrije loop te laten, die haar partner kon zijn in een magnifiek leven – maar ze had die mannen, zonder dat ze het zelf wisten, ingezet als onderdrukkers, als surrogaat voor een leven vol moed.

Maar een man kon een echt leven nooit vervangen. Hij is geen pitstop waar je te lang blijft hangen omdat je te bang bent om jezelf echt te uiten. Dat besefte Maya nu. Het was haar duidelijk: als ze een zielsverwant wilde vinden die met haar de zoektocht wilde aangaan, dan moest ze in haar eentje beginnen.

Een maand later stond Maya in het lege koffiehuis. Alles was weg: de toonbank, het espresso-apparaat, de tafels, de stoelen en alle taarten.

Maya dacht aan haar moeder en werd overmand door een teder verdriet. Ze wist dat Lily haar alleen maar gelukkig had willen zien. Dat ze het koffiehuis zo lang draaiende had gehouden, was niet echt omdat het de erfenis van Lily was, maar meer vanwege haar eigen angsten. Toen besefte Maya met een glimlach dat er met de verkoop van het koffiehuis een levenslange angst van haar af gevallen was. Eindelijk voelde ze zich vrij.

De flat boven was ook leeg. Ze had alles verkocht en het enige wat er nog was achtergebleven, waren duizend exemplaren van haar boek. Toen de drukkerij vroeg hoeveel ze er wilde hebben, had Maya dat getal genoemd. Het was in haar hart opgekomen en het voelde goed, hoewel het volkomen gestoord leek. Bill had gezegd dat ze doortastender moest zijn, en dit was bepaald doortastend. En het gaf haar een geweldig gevoel.

Maya draaide de deuren van het koffiehuis voor het

laatst op slot, wierp haar moeder een laatste kushand toe en stak toen zonder omkijken de straat over. Terwijl ze wegliep besefte Maya dat ze weliswaar jarenlang het gevoel had gehad dat ze vast zat, maar dat The Cocoa Café uiteindelijk een geschenk was gebleken, want het gaf haar leven nu een nieuwe richting. Maar voor ze Engeland achter zich liet, moest ze nog één ding doen.

Faith deed de deur open. Toen ze Maya zag staan, kon ze haar schrik niet verbergen. Toen glimlachte ze, trok haar nicht naar zich toe en haalde haar binnen.

Even later zat Maya ongemakkelijk op de bank. Ze wist niet wat ze moest zeggen. Ze had Faith ruim een halfjaar niet gesproken en ze had geen idee hoe ze het goed moest maken. Duizend gedachten tolden door Maya's hoofd, ze tuimelden over elkaar heen en vielen op een hoopje neer.

'Ik vind... Echt, ik vind het zo erg,' fluisterde ze ten slotte terwijl ze haar tranen inhield.

'Al goed,' zei Faith. 'Ik weet wat er is gebeurd.'

'O, ja?'

'Jake.'

Maya knikte.

'Maar het was zijn schuld niet. Ik heb precies gedaan waar jij me voor gewaarschuwd had. Ik liet mezelf in de steek en liet mijn hele leven om hem draaien. En hij wist niet hoe snel hij weg moest komen.'

'Ik dacht al zoiets toen je niet meer belde.'

'Het spijt me echt heel erg.'

'Welnee, lieverdje. Ik begrijp het wel.'

Maya glimlachte dankbaar. Ze had het altijd geweldig gevonden dat Faith makkelijk dingen kon vergeven en accepteren. Ze deed niet net of de hele wereld om haar draaide; ze eiste niet van anderen dat ze zich schikten naar haar behoeften en wensen. Ze liet ze gewoon zichzelf zijn. En dat gaf iedereen, Maya ook, een heel prettig en ontspannen gevoel.

'Dank je,' zei Maya, die ineens besefte wat een prachtig voorbeeld van een verlichte geest haar nicht was. 'Dank je wel.'

'En hoe gaat het nu?'

'Best goed, eigenlijk.'

'Fantastisch,' zei Faith oprecht tevreden, zonder een greintje wrok.

'Ik ga naar Amerika.'

'Meen je dat nou?' vroeg Faith met een verbaasde blik. 'Wat geweldig. Ga je op vakantie, iemand opzoeken...?'

'Ik ga daar proberen mijn boek te slijten.'

'Je boek?'

'Ja, ik heb het in eigen beheer uitgegeven. Ik heb het koffiehuis verkocht, ik heb duizend exemplaren laten drukken en die ga ik in Amerika proberen te slijten. Ik weet dat het gestoord is, maar ik vind dat het hoog tijd is dat ik mijn leven eens een onbezonnen draai geef.'

'Zo gestoord is het niet,' zei Faith. 'Het is geweldig!'

Maya glimlachte. 'Ik wist wel dat jij het zou begrijpen.'

'Zal ik zolang voor Donut zorgen?'

'Dat zou fijn zijn. Alleen...'

'Wat?'

'Ik heb een vreemd voorgevoel.'

'Wat dan?'

'Dat ik misschien nooit meer terugkom.'

'Je meent het.' Faith grijnsde. 'Ik wist niet dat jij zulke intuïtieve gaven had.'

'Heb ik ook niet. Ik weet niet waar dat voorgevoel vandaan komt, maar zo voelt het wel.'

'Misschien komt het doordat je eindelijk je leven leeft,' zei Faith. 'Je loopt nu in de pas met de universele vibraties, waardoor je jezelf helemaal kunt afstemmen op de kosmische krachten.'

'Dat is nou een van de vele dingen die ik zo in jou waardeer, Faith.' Maya moest lachen. 'Je durft een beetje geschift uit de hoek te komen.'

Faith lachte ook, totaal niet beledigd.

'Eigenlijk ben ik zelf de laatste tijd ook een beetje geschift bezig,' gaf Maya toe. 'En ik ben nog nooit zo gelukkig geweest.'

'Ach ja, volgens mij zit het zo: hoe trouwer je aan jezelf bent, hoe gelukkiger je wordt,' zei Faith. 'En hoe geschifter je overkomt op anderen.'

Maya voelde plotseling een golf van liefde voor haar nicht die haar zo onvoorwaardelijk accepteerde. Ze schoof naar haar toe op de bank en trok haar naar zich toe. Toen ze elkaar eindelijk weer loslieten, gaf Faith haar een zoen op haar wang.

'Ik ben heel trots op je, Maya.'

'Ja,' glimlachte Maya. 'Ik ben ook trots op mezelf.'

Maya zakte onderuit in haar vliegtuigstoel. Er lagen honderd boeken in het ruim, de rest was onderweg per schip, en ze had nog zo'n duizend pond op de bank. Maya grijnsde. Dit was verreweg het meest onzinnige wat ze ooit had gedaan en ze genoot van ieder moment.

Maya keek even naar de oude man naast haar. Hij had de afgelopen paar uur al een paar keer haar aandacht getrokken en ze wilde graag een gesprek met hem aanknopen. En aangezien ze nu officieel een moedige vrouw was, besefte ze dat dat niet zo'n probleem moest zijn.

'Vertelt u eens,' begon Maya vrolijk. 'Woont u in New York? Of gaat u vakantie vieren?'

De oude man keek haar aan. Iets in zijn blik deed haar denken aan Rose.

'Toe maar, zeg,' zei hij. 'Wat leuk dat zo'n mooie jonge vrouw een gesprekje begint met zo'n oude knar als ik.'

Maya glimlachte.

'Ik ben Thomas.'

'Maya.'

'Serieus?' vroeg hij bedachtzaam. 'Weet je wat jouw naam betekent?'

Maya schudde het hoofd.

'Volgens de Hindoes is het de sluier van Maya die onze ogen vertroebelt als we de wereld via onze geest aanschouwen: met al onze vooroordelen, kritiek, angsten en twijfels.

Maar de wereld achter de sluier van Maya is de wereld zoals je die via je hart voelt. Als de sluier ons van de ogen valt, raken we verlicht. Maar tot dat moment zijn we blind.'

Maya keek hem verbaasd aan. Dat verklaarde een hoop.

'Niet te geloven dat ik dat niet wist. Maar het verbaast me totaal niet. Ik heb het grootste deel van mijn leven in die wereld doorgebracht.'

Thomas kneep vriendelijk in haar hand. 'Net als de meesten van ons, liefje, net als de meesten van ons.'

'Maar nu niet meer,' zei Maya trots. 'Dat is voorbij.'

'O, ja?'

'Ik ga naar New York om mijn boek te verkopen.'

Dit was de eerste keer dat ze dit aan een vreemde vertelde, en het kwam er zo zelfverzekerd uit dat ze zich een ander mens voelde. Misschien was ze niet langer Maya, of tenminste niet de Maya die ze altijd gekend had.

'Nou, nou, dat klinkt geweldig. Heb je er veel succes mee gehad in Engeland?'

'Nee,' gaf Maya toe. 'Ik heb het daar niet verkocht. Ik heb het in eigen beheer uitgegeven. Maar het is een spiritueel soort boek, over mijn zoektocht van cynisme en bitterheid naar zelfvertrouwen en geluk. En daar staan ze daar in Engeland volgens mij niet zo voor open als jullie in Amerika. Dus leek het me goed het daar nog eens te proberen.'

'Goh, wat dapper van je. Ik ben erg onder de indruk.'

'Dank je,' grijnsde Maya blij. 'Ik had het nooit alleen voor elkaar kunnen krijgen. Ik heb veel hulp gehad, en een hoop aanmoediging.'

'Daar is niets op tegen,' zei Thomas. 'Volgens mij kan niemand het allemaal alleen. Ik denk niet dat dat ooit de bedoeling is geweest.'

‘Ik ben zelfs een keer naar een medium toe gegaan,’ zei Maya. ‘Dat is wel een tikje gênant.’

‘Welnee, helemaal niet,’ verzekerde Thomas haar. ‘Ik heb veel gekkere dingen gedaan in mijn leven, neem dat maar van mij aan.’

‘Echt waar?’ vroeg Maya nieuwsgierig. ‘Ik moet toegeven dat ik mijn medium helemaal geweldig vond. Ze voorspelde niet echt mijn toekomst, maar ze vertelde me van alles over mijn eigen geest, over hoe ik mijn weg in het leven moest bewandelen. Ze zei dat ik dapper moest zijn.’

‘Juist ja. Nou, dat is een uitstekend advies.’

‘Zeg dat wel. Het was heel moeilijk, maar wel heel goed. En toen ik de hele zaak net wilde opgeven, kwam ik ene Bill tegen. Die zei dat ik nóg doortastender moest zijn.’

‘Op die manier,’ zei Thomas. ‘Wat valt alles toch prachtig in elkaar als we onze gevoelens volgen, als we niet naar ons verstand luisteren, maar naar ons hart.’

‘Dat weet ik niet, hoor,’ zei Maya. ‘Volgens mij heb ik gewoon geluk gehad. Ik heb m’n gevoelens niet echt gevolgd. Ik zat behoorlijk vast en ik was bang.’

‘Misschien wel. Maar misschien dacht je dat maar.’

Daar moest Maya even over nadenken.

‘Wat is het verschil?’

‘Hoe jij denkt over jezelf, je leven, eigenlijk over alles; die gedachten zijn niet altijd reëel. Ze corresponderen niet altijd met de feiten. Sterker nog, dat doen ze vaak niet.’

‘Echt niet?’ vroeg Maya nieuwsgierig.

‘Zeker weten. Zo kun je bijvoorbeeld denken *Ik verveel me.* Of *Ik zit vast. Ik weet niet wat ik nu moet doen, ik ben bang*. En dat ben je dan niet, maar je hoort het in je hoofd, dus dan ga je het natuurlijk vanzelf geloven. En dan ga je daarnaar handelen, en dan wordt het in jouw beleving waar. Dat mááktn het waar, ook al klopt het helemaal niet.'

Maya keek hem aan en heel eventjes leek het alsof alles stilstond. Zo had Maya het nooit eerder bekeken. Ze had altijd het idee dat het klopte wat ze van zichzelf dacht en vond. Maar misschien was dat wel niet zo. Misschien waren die gedachten niets meer dan gedachten.

'Maar hoe weet ik dan of een gedachte reëel is of niet?'

'Reële gedachten zijn volstrekt neutraal, zonder enig oordeel,' legde Thomas uit. 'Ze stellen iets vast en verdwijnen dan weer. Maar als ze emoties in je oproepen, vooral angst en pijn, dan zijn ze gegarandeerd niet reëel.'

Maar als ze niet reëel zijn, waar komen ze dan vandaan?'

'O, die gedachten kunnen overal vandaan komen. Dat maakt niet uit. De geest is een spons. Alles wat je ooit hebt gehoord, blijf je recyclen in je hoofd. Honderd miljoen overtuigingen, meningen, kritiekpunten, ideeën, dat alles tolt in het rond – een krankzinnige radio die, als je boft, op een dag tot ontploffing komt en dan ben je vrij.'

'En dan stop je met denken?'

Thomas glimlachte. 'Dat gebeurt maar heel zelden. Misschien als je de rest van je leven op een bergtop gaat zitten. De rest van ons houdt nooit op met denken, maar we hoeven er niet meer naar te luisteren. We hoeven er niet meer in te geloven. Dat is het geheim.'

'Dat is geweldig. Echt geweldig,' glimlachte Maya.

Nu, in het heldere schijnsel van deze nieuw verworven kennis, zag Maya in dat ze misschien helemaal geen vastgelopen, onbeholpen, angstig wrak was geweest. Misschien had ze dat alleen maar gedácht. En juist die angstige, kritische gedachten hadden haar in dat leven vastgehouden, en verder niets. Maya besefte dat er eigenlijk helemaal niets mis was met haar.

Thomas ging verder. 'Dus als je ooit weer het idee hebt dat je vastloopt, negeer die gedachte dan gewoon. Probeer je bewust te worden van je gevoelens en volg die. Voor mij werkt dat altijd prima.'

Maya grijnsde. Sinds ze zich voldoende openstelde om feitelijk contact te maken met andere mensen, leek het wel alsof iedereen iets bruikbaars te zeggen had. En met een wereld met acht miljard inwoners besefte ze dat die hulp altijd beschikbaar was. Als ze maar de moed had om erom te vragen. Toen bedacht Maya dat van alle vreemden die haar in de loop der tijd van advies gediend hadden, Thomas de eerste was bij wie ze zelf het initiatief genomen had.

'Dank je wel. Ontzettend bedankt,' zei ze. Ze gaf de oude man een kneepje in zijn hand en bovendien nog een kusje op de wang.

Het volgende moment viel alles wat Rose had gezegd plotseling op zijn plaats. Wijsheid was samengevallen met ervaring, en daarmee was de derde hoeksteen voor Maya's geweldige leven gelegd. Erbarmen. Moed. En betrokkenheid.

Maya straalde van vreugde toen het vliegtuig in New York landde. Ze hielp Thomas het vliegtuig uit, zocht hun bagage bij elkaar, grijnsde tegen de douaniers en stapte toen op de bus naar Manhattan.

Toen de skyline in zicht kwam, moest Maya zich inhouden om niet in haar handen te klappen en te kraaien van plezier. Ze drukte haar neus tegen het raam en staarde naar buiten zonder ook maar één keer met haar ogen te knipperen, tot de bus de Lincolntunnel in draaide. Toen ze het busstation uit liep en haar eerst gele taxi zag, kon Maya zich niet meer inhouden. Ze liet haar koffers vallen en sprong op en neer van vreugde.

Die avond logeerde Maya om haar vertrouwen te demonstreren en te vieren in een chic hotel, waar ze roomservice bestelde. En terwijl ze tussen de zijden lakens gleed, liet ze een diep tevreden zucht horen. Ze deed haar ogen dicht en tintelde van het soort opwinding dat je alleen voelt als je je dromen achterna gaat.

Een week later had Maya nog maar weinig geluk gehad. Geen enkele grote boekwinkel wilde haar boek aankopen, omdat ze alleen zaken deden met echte uitgeverijen. Maya vond dit nogal een tegenvaller en kreeg een beetje last van zelfmedelijden. Na de derde dag en de veertiende afwijzing kreeg ze het idee dat het aan de wereld lag, dat het een keiharde, meedogenloze plek was.

Helaas dacht ze even niet meer aan de woorden van Thomas, dat ze niet zomaar haar eigen gedachten moest geloven. Als ze daaraan gedacht had, en heel eerlijk was over de moeite die ze er tot nu toe in gestoken had, had Maya moeten toegeven dat ze er zelf niet genoeg voor deed. Helemaal in haar eentje in de grote stad en een beetje angstig door alle indrukken had ze de afwijzingen een beetje te gemakkelijk geaccepteerd. Ze had niet echt alles uit de kast getrokken om zichzelf te promoten.

Twee weken later was Maya bij de allerlaatste boekwinkel geweest die ze in Manhattan kon vinden en nu wist ze het niet meer. Na haar slagingspercentage van drie op zesendertig moest ze er eigenlijk niet aan denken om het in Brooklyn of andere wijken te proberen. Eerlijk gezegd zou ze het liever opgeven, haar spullen pakken en terug naar huis gaan.

Maar na alles wat ze had doorstaan, kon Maya niet meer terug. Ze moest doorzetten. Ze volgde het advies van Thomas. Ze ging in het portiek van een dichtgetimmerde winkel op Amsterdam Avenue staan en probeerde haar gedachten te blokkeren en in contact te komen met haar gevoelens om te kijken wat de volgende stap zou moeten zijn. Maar na een tijdje had ze nog steeds geen sterke boodschappen doorgekregen. Haar hart hield zich nogal stil. Het suggereerde alleen dat ze een beetje moest ontspannen en die dag maar niet meer moest proberen om boeken te verkopen.

Dus trok Maya richting Downtown Manhattan. Ze

volgde haar gevoel en kwam uit in de West Village, naast een café met een prachtig terras aan een leuke straat vol mooie, unieke winkeltjes.

Maya ging op het terras zitten en bestelde uit pure nostalgie koffie met een chocoladecroissant. Een uur later lag de croissant nog onaangeroerd op het bordje terwijl Maya genoot van de zonsondergang. Ze liet zich meevoeren met alles wat ze om zich heen hoorde en zag en voelde dat ze helemaal begon te ontspannen. Al haar recente teleurstelling verdween met het wegstervende licht.

Maya keek op naar de laatste, langgerekte stralen zonlicht door de bomen en moest ineens aan een liedje denken: *'If you're going to San Francisco, be sure to wear some flowers in your hair...'*

Maya ging rechtop zitten. Ze wist niet of het nu door het licht kwam, of door de koffie, of omdat ze het altijd al een geweldig liedje had gevonden, maar op dat moment had Maya het gevoel dat dit een teken was.

San Francisco, dat zou ideaal zijn. Die stad was immers het spirituele Mekka van Amerika. Iedereen wist dat alle esoterische types daar naartoe trokken, terwijl New Yorkers over het algemeen wat cynischer in het leven staan. En aangezien ze uit Engeland was weggegaan omdat ze dacht dat haar boek het niet goed zou doen in een cynisch klimaat, had het weinig zin om nog langer hier te blijven.

De volgende dag stapte Maya met haar boeken op een bus naar het westen. De reis zou 72 uur duren.

Toen Maya drie dagen later de bus uit stapte, voelde ze zich lang niet meer zo zelfverzekerd. Ze had New York verruild voor een andere stad waar ze ook niemand kende, en had geen idee hoe ze het nu het beste kon spelen. Na zo'n lange busreis, met pitstops op de meest onzalige uren, was Maya zo moe dat ze alleen maar in bed wilde kruipen en huilen.

Toen ze de volgende dag weer helemaal kwiek en fris opstond, pakte Maya tien boeken en een stadsplattegrond in en ging op pad om San Francisco te veroveren. Uit verschillende nachtelijke gesprekken met haar medepassagiers had Maya wat informatie opgedaan over waar ze kon beginnen. En in het frisse ochtendlicht begonnen die weetjes langzaam weer terug te komen.

Ze stapte in een tram naar het centrum. Voor zover ze uit de gesprekken begrepen had, moest dat een toevluchtsoord zijn vol hartelijke, open mensen die klaarstonden voor iemand die de weg in het leven een beetje kwijt was.

De tramrit was ontzettend leuk, de snelheid en het uitzicht deden Maya weer glimlachen. Zo had ze makkelijk de hele dag kunnen doorbrengen, met die schitterende ringlijn door deze heerlijke stad waar ze nu al verliefd op was. Maar Maya wist dat er werk aan de winkel was, er waren lessen te leren en er was een doel te bereiken. En dit was niet het moment om terug te deinzen. Dus sprong ze uit de tram en voegde zich bij de mensenmassa die zich door Haight Street heen perste.

Na een uur en twee kopjes kruidenthee vond Maya het tijd om de hoofdstraat achter zich te laten. Die kwam meer over als een toeristentrekpleister dan als het hart en ziel van de stad. En zo waagde ze zich in de kleine zijstraatjes, op zoek naar een boekwinkel die haar boek wilde verkopen.

Maya begon eraan te wennen dat ze haar gevoel moest volgen, dat ze zich niet moest laten leiden door haar hoofd, maar door haar hart, en hoe meer ze dat deed, hoe makkelijker het leven werd. Ze kreeg minder te maken met tegenslag, en meer met de samenloop van omstandigheden en gelukkig toeval, alsof ze niet meer tegen de stroom in probeerde te gaan, maar zich juist mee liet drijven.

Nu ze heel Amerika doorkruist had, al was het dan heel snel, begon Maya langzaamaan een gevoel voor het land te ontwikkelen, en ze merkte dat elk gebied zijn eigen bijzondere sfeer had.

Toen ze bij dageraad door Arizona reed, werd ze overmand door de uitgestrektheid, de rust van de bergen en de serene stilte die er hing. Maya had haar hele leven in een klein Engels stadje gewoond, en had nog nooit zulke enorme rotsen van dichtbij gezien. Toen de zon opkwam, had ze met stokkende adem gekeken naar het indrukwekkende landschap om zich heen. Ze had gezworen om nog eens terug te keren naar deze plek.

San Francisco was ook prachtig: open, tolerant, nieuwsgierig en hartelijk. Maya voelde al die sferen in de lucht hangen en hoopte dezelfde kwaliteiten terug te zien in de mensen.

Na een tijdje bleef Maya staan. Ze was ver van haar oorspronkelijke route afgedwaald en stond nu voor een klein winkeltje dat zichzelf aanprees als The Alternative Bookshop. Maya haalde even diep adem, duwde de deur open en ging naar binnen.

Boven haar hoofd rinkelde een bel, een geluid dat Maya onmiddellijk terugbracht in het koffiehuis. Glimlachend stapte ze naar binnen. Langs de muren van de winkel stonden nieuwe en tweedehands boeken tot aan het plafond opgestapeld. Op de vloer lagen kastanjebruine kleden en het plafond was nachtblauw geschilderd, met gouden sterren. Maya dwaalde langzaam langs de boekenkasten en liet haar vinger langs de eikenhouten planken glijden. Tussen de boeken door volgde ze een pad naar een toonbank die ergens achterin verscholen stond.

Erachter zat een man, verdiept in een boek. Maya bleef een paar minuten staan kijken, met het idee dat dit misschien toch niet de juiste plek was om te proberen haar boeken te slijten. Maar net toen ze op het punt stond om weg te gaan, keek hij op. Maya hield haar adem in. Het was zo ongeveer de leukste man die ze ooit had gezien.

Hij was niet uitzinnig mooi, met van die hoge jukbeenderen en een krachtige kin, maar hij had wel grote, donkerbruine ogen waar een vrouw zich zomaar in kon verliezen als ze niet oppaste. Hij keek haar aan en heel even had Maya geen idee meer wat ze dacht en wat ze kwam doen.

'Kan ik iets voor je doen?'

'Wat?' Maya kwam weer bij zinnen. 'Sorry, ik... Eh, ja, ik wilde vragen of...'

Maya vermande zich en probeerde zich te concentreren

op haar doelstelling en niet op de man. Hij was ongetwijfeld getrouwd, homo of anderszins bezet, als ze af moest gaan op haar ervaringen tot nu toe. En aangezien ze al haar moed nodig had om door te zetten en haar dromen waar te maken, kon ze zich nu niet laten afleiden door romantische gedachten.

'Ik wilde vragen of je mijn boeken misschien te koop wilt leggen. Ik kan er wel eentje voor je achterlaten, als je er eerst over wilt nadenken.'

De man bekeek Maya en leek haar voorstel in overweging te nemen. Toen knikte hij, tot haar verrassing en vreugde.

'Tuurlijk,' zei hij. 'Laat maar eens zien.'

Voor hij zich kon bedenken, deed Maya haar tas open om een exemplaar te pakken. Nerveus, maar trots gaf ze hem het boek. Hij bekeek de kaft en las hardop wat erop stond.

'*Mannen, Geld en Chocola*, door Maya Fitzgerald.'

Maya knikte en glimlachte hoopvol.

'Intrigerende titel. Waar gaat het over?'

Maya haalde diep adem. Dit was het gênante onderdeel, het moment waar ze altijd het meest tegen opzag.

'Nou,' begon ze in één lange adem, 'het is... Het is min of meer autobiografisch. Over mijn zoektocht vanuit een wereld waarin ik mezelf verloor in gedachten en verlangens... mijn obsessie met mannen, geld en chocola, naar het moment dat ik mijn hart en ziel vind... en ontdek dat je het ware geluk niet vindt in die dingen, maar door je dromen te volgen en dan zo... zo magnifiek mogelijk te zijn.'

Maya wist er nog net een glimlach uit te persen voor ze

begon te hoesten. Ze kon niet meer ophouden. Ze greep zich vast aan de toonbank en boog zich voorover, het hoofd tussen de knieën. Ze voelde de blik van de man en was het liefst opgelost in een wolkje rook.

'Klinkt goed,' zei hij ten slotte. 'Doe mij maar tien exemplaren.'

Na een korte stilte wist Maya weer overeind te komen. Ze glimlachte en moest zich inhouden om hem niet in de armen te vliegen. 'Serieus? Dat is niet te geloven. Dank je wel. Ontzettend bedankt.'

'Geen probleem. Ik ben alleen bang dat ik je nu niet meteen kan betalen. Dat kan pas als ze echt verkocht worden.'

Maya was een beetje uit het veld geslagen. 'O, dat spreekt vanzelf,' zei ze, alsof ze er helemaal niet van opkeek.

'Fantastisch,' zei hij. 'Nou, Maya Fitzgerald, geef me dan je telefoonnummer maar, dan kan ik je bellen als we ze hebben verkocht.'

Maya haalde de boeken uit haar tas. Ze knikte en pakte een papiertje om het nummer van haar B&B op neer te krabbelen.

'Ik ben hier alleen deze week,' vertelde Maya terwijl ze aan het schrijven was. 'Ik reis zo'n beetje heel Amerika door en probeer onderweg mijn boeken te slijten...'

'Echt waar? Wauw. Waar ga je hierna naartoe?'

'Dat weet ik nog niet.' Maya haalde haar schouders op. 'Ik heb niet echt een vast plan. Ik kijk wel...'

'...waar de wind je naartoe voert.'

Maya glimlachte. 'Ja, zoiets.'

Hij stond op en stak zijn hand uit.

'Nou, leuk om zaken met je te doen, Maya. Hier heb je mijn nummer, dan kun je me ook als je weer weg bent bellen om te kijken hoe je boek het hier doet.'

Maya pakte zijn visitekaartje aan en wierp er een snelle blik op.

Ben Matthews, The Alternative Bookshop: 415 564 8090, gespecialiseerd in boeken waar je hart van opengaat en je verstand bij stilstaat.

Maya gaf hem een hand.

'Geweldig, Ben. Dank je wel.'

Opgevrolijkt door haar succes maakte Maya de volgende dag een rondrit door de stad. Het ging haar niet om de grote toeristentrekkers; ze wilde de authentieke sfeer opsnuiven, de kleinste hoekjes ontdekken, de verborgen geheimen die de stad zo bijzonder maakten.

Maya dwaalde door de straten, ging hier en daar een winkel of een café in, praatte met volslagen vreemden en luisterde glimlachend naar hun verhalen. Ten slotte belandde ze in een park waar alle drukte wegviel.

Toen besefte Maya dat ze de hele dag onder de mensen was geweest, korte ontmoetingen met willekeurige voorbijgangers, en dat ze van elke seconde had genoten. Ze had vooral genoten van haar nieuwe instelling. Ze hoefde geen moed meer te vatten om contact met iemand te maken. Langzaamaan begon ze alles uit het leven te halen, zonder zich in te houden of alles wat ze deed in twijfel te trekken.

Via een houten brug liep Maya naar een eiland midden in een meer. Uitkijkend over het water merkte Maya dat ze vanbinnen dezelfde rust voelde als die om haar heen heerste, stilte in haar hoofd en kalmte in haar hart. Op dat moment wist ze dat het er helemaal niet toe deed of ze al haar boeken had verkocht, en of iemand ze eigenlijk wel zou lezen. Dat zou natuurlijk fijn zijn, want zo kon ze op een andere manier contact maken, maar Maya voelde het niet meer als een wanhopig verlangen. Ze had het niet langer meer nodig om zich succesvol te voelen.

Maya sloeg een pad in. Ze liep tussen een groepje bomen door tot ze bij een waterval kwam. Ze ging op een grote, glanzend zwarte steen zitten. IJskoud water klaterde neer in een beek die onder haar voeten door stroomde. Ze deed haar schoenen uit, stak haar tenen in het water en lachte hardop.

Terwijl de zon achter de bomen langzaam onderging, stond Maya op. Ze pakte haar schoenen en liep op blote voeten naar een open plek om van de laatste zonnestralen te genieten. Aan de overkant van het meer stak de rode punt van een reuzenpagode boven de bomen uit. Daar was de ingang van de Japanse theetuin.

Maya vond het prachtig, want ze had er altijd al eens eentje willen zien. Ze slenterde naar de tuin, tussen de bomen door, turend naar de ondergaande zon. Maar toen ze bij het hek kwam, was het dicht. Heel even was Maya teleurgesteld, maar toen glimlachte ze en nam zich voor om de volgende dag terug te komen.

De volgende ochtend werd Maya vroeg wakker. Ze nam de tram door de stad en liep toen naar de tuin, waarbij ze onderweg nog langs een paar kleine boekwinkeltjes ging. Tot Maya's vreugde namen ze bij elke winkel vijf exemplaren van haar boek. Iedereen was zo positief, aardig en hartelijk vergeleken bij de mensen in New York, en Maya vroeg zich af waarom.

Zo leerde ze de volgende belangrijke levensles. Mensen waren niet onaardig omdat ze een naar karakter hadden; ze waren onaardig tegen haar geweest omdat ze zich niet echt voor hen had opengesteld. Ze had verwacht dat ze nee zouden zeggen, ze was terughoudend geweest, in de verdediging, klaar voor de afwijzing die ze al voelde aankomen. En die kwam dan dus ook altijd.

In San Francisco begon ze zich open te stellen. Ze benaderde de eigenaars van de boekwinkels met nieuwsgierigheid, altijd rekening houdend met de mogelijkheid dat ze ja zouden zeggen. En dat deden ze nu ook. Maya begon te beseffen hoeveel macht ze eigenlijk had om zelf te bepalen wat er in haar leven gebeurde, zowel de goede dingen als de slechte.

Die middag zat Maya op een bankje in de Japanse theetuin; omringd door bomen vol ontluikende kersenbloesem, klaterende beekjes en kalme vijvertjes, gouden karpers die lome achtjes draaiden in het water en bleven hangen in zonnige gedeelten, beelden van gepolijste steen, kleine, zorgvuldig bijgehouden gazonnetjes, volmaakt geplaatste bonsaiboompjes en grote reuzenpagodes. De wolkenloze hemel was stralend blauw en de bladeren wierpen een subtiele confetti van zonnevlekjes over bijna elke centimeter van de tuin.

Maya ging langzaam op in de rust om zich heen. Ze leunde tegen het gladde hout en keek volmaakt vredig naar de voorbij slenterende bezoekers. Stelletjes wandelden hand in hand langs de paden, maar Maya werd niet meer verdrietig bij het zien van verliefde mensen. Ze had geen behoefte meer aan chocola om zichzelf op te vrolijken, of aan geld om zich veilig en succesvol te voelen. En Maya had ook niet per se meer een man nodig om te weten dat iemand van haar kon houden.

Maya kon zich er niet toe zetten om de tuin te verlaten. Elke keer als ze probeerde op te staan, weigerde haar lichaam aan haar wil gehoor te geven. Het wilde alleen maar zitten en kijken. Uiteindelijk verhuisde Maya een stukje, naar een bankje dat uitkeek over een tuin vol bonsaiboompjes rondom een vijver met een stenen bruggetje overwoekerd met klimgeraniums. Naast de bergen in Arizona was dit een van de mooiste plekken die ze ooit had gezien. En ze dankte God dat haar leven haar, met alle ups en downs, hier had gebracht.

Maya realiseerde zich dat ze honger had. Maar ze had niet bij haar lege maag stilgestaan omdat haar hart vol was, en haar geest en haar ziel volmaakt tevreden. Het leek Maya een goed idee om op te staan en ergens iets te gaan eten, maar haar hart wilde blijven zitten. Dus wachtte ze, nog steeds betoverd door de schoonheid om zich heen en het vredige gevoel diep vanbinnen.

Even later kwam er iemand naast haar op het bankje zitten. Maya keek op en zag dat het Ben was, van de boekwinkel.

'O, hallo.' Maya lachte verrast. 'Waarom... Wat doe jij nou hier?'

Ben keek haar aan terwijl hij op het punt stond in een boterham te bijten.

'Ik bedoel, ik had je hier niet verwacht,' stamelde Maya. 'Maar het is jouw stad, dus je hebt natuurlijk alle recht om hier te zitten.'

'Goh, bedankt,' zei hij, terwijl hij haar bleef aankijken. 'Dat is het zeker.'

Heimelijk lachend en een beetje bang dat ze hem zomaar een zoen zou geven, richtte Maya al haar concentratie op haar voeten, alsof alle geheimen van het universum daarop geschreven stonden.

'Hé, we hebben al je boeken verkocht.'

'Wat?!' gilde Maya, meteen weer vol aandacht. 'Meen je dat nou?'

'Zeker.'

'Heb je ze zelf gekocht?'

Ben moest lachen. 'Waarom zou ik dat nou doen?'

'Ja. Nee, natuurlijk niet. Maar ik kan het gewoon niet geloven!'

'Ik heb het intussen wel gelezen.'

'Echt? Maar dan vond je er zeker niks... Ik bedoel, het lijkt me niet echt een boek voor jou. Het is eigenlijk bedoeld voor vrouwen. Ik heb het voor mezelf geschreven...'

'Weet ik,' zei Ben. 'Maar ik vond het prachtig.'

Maya grijnsde. Ze was sprakeloos.

'En ik vond het leuk om meer over jouw leven te weten te komen. Dat was heel inspirerend.'

'Serieus?' Maya keek weer naar haar voeten. 'Eh, nou ja, dank je wel.'

'Kun je me nog een paar exemplaren geven?'

'Ja! Natuurlijk. Komt voor mekaar. Denk je dat je ze kwijt kunt?'

'O, dat weet ik wel zeker. Ik heb al vijf mensen op de wachtlijst staan.'

Maya kon het niet geloven. Ze zou het liefst op het bankje op en neer gaan staan springen. Ze wilde Ben's hand pakken en gaan dansen. Ze wilde hem zoenen. In plaats daarvan grijnsde ze maar wat.

'Wauw,' zei Maya. 'Wat geweldig.'

En zo viel er weer een puzzelstukje op zijn plaats. Het was precies zoals iedereen had gezegd. Eerst was er erbarmen nodig geweest, toen moed en ten slotte betrokkenheid. En nu ze beloond werd voor het leren van die lessen begon voor Maya haar gedroomde leven.

Nadat ze uit de theetuin waren vertrokken, brachten Maya en Ben de avond al wandelend door aan de haven. Behalve uiterst aantrekkelijk was Ben ook lief, attent en heel geestig. Hij stelde een hoop vragen en was werkelijk geïnteresseerd en benieuwd naar wat ze te vertellen had. Ze merkte dat hij luisterde, echt luisterde, zonder met een mening of gevat commentaar klaar te staan, of slimme inzichten die meer over hem zouden zeggen dan over haar. Als zij aan het woord was, keek hij naar haar alsof er verder niemand op de wereld was. En hij vertelde veel over zichzelf, met een oprechtheid en een openheid waar ze van opkeek en genoot.

Maya vertelde Ben bijna alles over zichzelf, maar niet dat ze zich tot hem aangetrokken voelde. Haar nieuwe zelfvertrouwen voelde nog zacht en kwetsbaar aan en ze durfde het nog niet op het spel te zetten door iets met Ben te beginnen. Die les had ze wel geleerd met Jake. Bovendien wist Maya dat ze over drie dagen zou vertrekken en om nu op die manier een gebroken hart op te zoeken, dat had weinig zin.

Maar die nacht kreeg ze hem maar niet uit haar hoofd en die gedachten vonden hun weg in haar dromen. De volgende dag bracht Maya Ben nog twintig exemplaren. Toen ze de boekwinkel binnenkwam, was hij net bezig om er een etalage voor te maken. Hij had chocolademunten in goudpapier rond een lessenaar neergelegd, met daarboven een grappige foto van hemzelf.

'Dus jij staat symbool voor de mannen?' lachte Maya. 'Wat schattig.'

'"Schattig?"' Ben glimlachte. 'Je bent hier drie weken en je begint nu al te klinken als een echte Amerikaan.'

'Ik vind het hier dan ook geweldig,' bekende Maya terwijl ze hem een stapel boeken uit haar rugzak aangaf.

'Mooi zo. Weet je al waar je hierna naartoe gaat?'

'Naar Portland, denk ik. Een aardige man in de bus zei dat ze daar een heleboel alternatieve boekwinkels hebben, net zoals deze.'

'Zeg, pas op, hè. Wij zijn er één uit duizenden.'

'O,' glimlachte Maya. 'Dat weet ik heel goed.'

Al snel was de week voorbij. Maya zou de volgende dag vertrekken. Die avond maakte Ben een afscheidsdiner voor haar klaar. Bij een zalige pompoensoep met spekjes vertelde Maya Ben over haar korte romance met Arizona en dat ze zich voorgenomen had om nog eens terug te gaan.

'Nou, als je het niet erg vindt om nog een paar dagen te wachten, kunnen we samen gaan,' zei Ben. 'Dan kun je van daaruit de bus naar Portland nemen.'

'Echt? Meen je dat?'

'Dat vraag je vaak,' lachte Ben. 'En ja, dat meen ik.'

'Wauw. Dat lijkt me... fantastisch. Dank je wel. Wat moet jij daar dan?'

'Ik moet bij een paar investeerders langs. Ik hoop nog een winkel te kunnen openen.'

'Dat zou geweldig zijn. Dan kun je mijn boeken door

heel Amerika verkopen,' plaagde Maya.

Ben keek haar vrolijk aan en Maya glimlachte in zichzelf. Een jaar geleden zou ze zo'n opmerking op zijn minst belachelijk hebben gevonden, en eigenlijk hopeloos arrogant. Nu gaf het haar een geweldig gevoel.

'Dit is echt de lekkerste soep die ik ooit heb gegeten,' zei Maya. 'Wie had ooit kunnen denken dat gezond eten lekkerder zou kunnen smaken dan chocola?'

'Wacht maar tot je mijn zeebaars hebt geprobeerd,' antwoordde Ben met een glimlach. 'En mijn pasta met pesto.'

Drie dagen later reed Maya door de woestijn van Arizona in Ben's gedeukte rode truck. Terwijl ze veel te snel over de snelweg raasde, haar haren wapperend in de wind, dacht Maya ineens terug aan tien jaar geleden, toen ze *Thelma and Louise* voor het eerst zag. Sinds dat moment had ze hiervan gedroomd.

Het was alsof het universum haar, nu ze haar lessen geleerd had, allerlei geschenken in de schoot wierp. Het gaf Maya dingen waarvan ze zich niet kon herinneren dat ze erom gevraagd had. Maya schreeuwde het uit van plezier en Ben lachte.

'Hé, heb je honger?' vroeg hij.

Maya knikte, hoewel ze absoluut geen zin had om af te remmen.

'Er zit een heel leuk tentje, een paar kilometer verderop langs Route 66.'

'Klinkt geweldig.'

Met Ben zag en proefde ze allerlei dingen waar ze zonder hem nooit weet van gehad zou hebben. Maya bedacht hoe fantastisch het was om contact te maken met zoveel mensen en zoveel hulp te ontvangen. Ze kon zich nauwelijks voorstellen dat ze haar hele leven zonder die hulp had rond getobd.

Binnen een halfuur zaten ze in een vrolijke, goedkope cafetaria op rode bankjes aan de fajita's, met uitzicht op de bergen.

'Wat is dit lekker.' Maya grijnsde. Ze morste guacamole op haar T-shirt en likte het eraf met haar vinger.

'Voor zo'n slank dennetje ben jij wel erg dol op eten,' zei Ben.

'Tja, ik schiet niet meer heen en weer tussen uithongeren en volproppen,' legde Maya uit. 'Vroeger kwam ik niet verder dan een stoel in een koffiehuis, waar ik zat te eten in plaats van te leven. Nu leef ik gewoon, en ik eet wat en wanneer ik maar wil. Ik denk er niet meer aan, ik trek mijn keuzes niet meer in twijfel en ik haat mezelf er niet meer om. En dat is heerlijk.'

Ben glimlachte. 'Nou, ik ben blij dat je niet aan diëten doet.'

'Zeker,' zei Maya lachend. 'Ik ook.'

Die nacht logeerden ze in een motel, in aparte bedden. Geen van beiden hadden ze iets gezegd over wat ze voor elkaar voelden, en Maya had gezworen dat zij er niet als eerste over zou beginnen. Maar er was nog iets wat ze al een tijdje wilde vragen.

Sinds Thomas haar had verteld over de sluier van Maya, over leven met illusies en de waarheid niet zien, wilde ze haar naam veranderen, als afspiegeling van de transformatie die zich in haar voltrokken had. Ze leefde niet meer met illusies. Haar leven werd niet langer bepaald door zorgen, angst en een slecht zelfbeeld. En Maya wilde een naam die daar recht aan deed.

'Zou je me May willen noemen?' vroeg ze, toen Ben net het licht wilde uitdoen.

'Tuurlijk.'

'Mijn nicht noemt me toch al vaak May, dus dat is niet zo'n grote stap,' vervolgde ze. 'Mei is mijn lievelingsmaand en het is lente. Zo symboliseer ik mijn wedergeboorte.'

'Je hoeft het echt niet uit te leggen, hoor. Ik noem je net zo lief Fred als je daar prijs op stelt.'

Vlak voor ze in slaap viel, bedacht May voor de zoveelste keer die dag dat Ben een van de aardigste mensen was die ze ooit had ontmoet. Zou het mogelijk zijn dat hij net zo over haar dacht?

De volgende dag draaide ze de snelweg af, een zandpad op, de bergen in. May keek uit over de prachtige rode rotsen. Wat zou ze die graag aanraken, dacht ze. Ze volgden het pad, elk opgaand in hun eigen gedachten, totdat Ben begon te praten.

'Ik neem je mee naar Zion National Park.'

'Geweldig,' zei May. Ze had er nog nooit van gehoord, maar alleen de naam beloofde al een magische ervaring.

Ben ging een bocht om, reed een open plek op en parkeerde. May opende haar portier en sprong eruit. Er stoof een wolkje rood stof op dat op haar teenslippers terechtkwam. Ben zette koers naar de dichtstbijzijnde berg.

'Deze kant op.'

May haastte zich achter hem aan, in een wolk van stof.

'Ik wil je meenemen naar een rots,' zei Ben terwijl hij haar hand pakte. 'Je moet hem in je eentje beklimmen. Als je eenmaal op de top staat, krijg je een boodschap van God, zeggen ze.'

'Echt waar? Wat geweldig.'

Ze liepen door valleien, tussen de rode rotswanden door, langs voormalige watervallen, tot ze eindelijk bij Angel's Landing aankwamen.

May draaide zich om naar Ben, die haar al aankeek.

'Dus nu moet ik hier in m'n eentje naar boven?'

Ben knikte.

'Maar ik moet je eerst nog iets geven.'

'Een klimgordel, hoop ik,' glimlachte May, terwijl ze naar boven keek.

Toen kuste hij haar.

Na een hele tijd was de zoen voorbij en keken ze elkaar aan. Ben streelde haar wang.

'Ik hoor bij jou, hè.'

De woorden bleven tussen hen in hangen, zwevend in de lucht, tussen de bergen in. En hoewel ze ver gekomen was, hoewel ze veel geleerd had en hoewel ze nu oprecht van zichzelf hield, kom May het nog niet echt geloven.

'Maar je... Ik... Wij... Ik heb niets bijzonders gedaan... Ik ben niet...'

Ben glimlachte alleen maar.

'May,' zei hij zachtjes. 'Je bent magnifiek.'

May keek uit over de bergtoppen die tot aan de hemel reikten, ver over de woestijn, tot ze niet meer kon zien waar die ophield. Haar hart stroomde over van vreugde en opwinding raasde door haar lichaam.

Ze voelde de lucht trillen, de hartslag van het leven bonkte door haar vingertoppen en een lach welde in haar op. Ze wist dat ze verder niets meer nodig had. Ze had alles. Ze was alles. Ze was volkomen alleen, en toch had ze nog nooit in haar leven zo'n betrokkenheid gevoeld.

En daar, aan de rand van het ravijn, wist May, met absolute zekerheid, dat niets ooit nog hetzelfde zou zijn. Ze stak haar handen hoog in de lucht en gooide haar hoofd achterover om naar de lucht te kijken. Ze zag de wolken langs drijven tot ze ongestoord uitzicht op de hemel had. May glimlachte, en er schoten tranen in haar ogen.

'Dank U,' fluisterde ze. 'Dank U.'

Recepten en het echte leven

Voor ik de juiste hoeveelheid moed vond die ik nodig had om helemaal voor mijn eigen dromen te gaan, was eten (vooral chocola) een pijnlijke obsessie voor me, met alle gevolgen van dien. Mijn pogingen om er weerstand aan te bieden en er daarna onvermijdelijk weer te veel van te eten, vraten aan mijn creatieve energie.

Natuurlijk bekritiseerde en vermaande ik mezelf daar constant over, en ik vroeg me altijd af wat mij in vredesnaam mankeerde. Maar uiteindelijk merkte ik tot mijn grote verrassing dat het vrij simpel was: er was niets mis met mij, maar ik had gewoon niet een leven waar ik van kon genieten.

Toen ik daarmee aan de slag ging, toen ik genoeg moed vatte om trouw te zijn aan mijn eigen hart en mijn gedachten niet meer te geloven (nog steeds een uitdaging en een keus die ik elke dag opnieuw moet maken!), loste het 'eetprobleem' zich vanzelf op.

Ik moet nog steeds oppassen met mijn verslaving. Zodra ik word gegrepen door angst of toegeef aan negatieve gedachten, loop ik vanzelf naar de koelkast. Maar als ik schrijf, zing, dans, lach en leef vanuit mijn hart, denk ik geen moment aan mijn maag.

Ik wens jou dezelfde ervaring toe en hoop dat dit boek je heeft geholpen om van je lijf te gaan houden en het jezelf niet zo moeilijk te maken, en dat het je heeft aangespoord om obsessief bezig te zijn met je eigen geluk in plaats van die calorieën!

Vanuit die gedachte wil ik graag mijn lievelingsrecepten (ingedeeld volgens het seizoen waarin ik ze graag eet) met je delen...

De hartige recepten zijn bedacht door Artur de sa Barreto, mijn uitermate getalenteerde echtgenoot, zonder wie ik bijna zeker ondervoed zou zijn. En de zoete recepten zijn special ontwikkeld door chefkok Jack van Praag, tevens mijn broer en mijn persoonlijke leverancier van alles wat decadent en zalig is.

Recepten voor de lente

Chili Pesto Pasta

Ik was nooit zo dol op pesto tot ik een zelfgemaakte versie proefde. Ik ken geen lekkerder recept dan dat van Artur, dus in de lente en de zomer gaan er bij ons heel wat basilicumplanten doorheen. De chilipepers (gekweekt door mijn man) zijn niet zo pittig dat ze eruit springen, maar laten de andere smaken heel goed uitkomen.

VOOR TWEE PERSONEN

Voor de pesto
30 gr basilicumblaadjes
1 teentje knoflook, fijngehakt
90 ml olijfolie
30 gr pijnboompitten
1 kleine, milde rode chilipeper
½ theelepel zout
¼ theelepel zwarte peper
½ theelepel suiker
35 gr Parmezaanse kaas in blokjes
1 theelepel balsamico (het liefst die van 21 jaar oud)

3 nestjes dunne pasta of vermicelli

Je kunt een blender gebruiken om de pesto-ingrediënten te vermengen, maar een koffiemolen werkt net zo goed!

Doe dc basilicum, balsamico, knoflook, olijfolie, pijnboompitten en chilipeper bij elkaar en vermeng ze goed. Voeg zout, peper en suiker toe. Dan de Parmezaanse kaas erbij en goed mengen.

Kook de pasta in drie minuten *al dente*. Afgieten en opdienen. Laat de pasta heel even afkoelen voordat de pesto eroverheen gaat.

Donuts met lavendelsuiker

Verse donuts horen tot de zaligste lekkernijen ter wereld. De warmte in je handen, de zoete geur van suiker, en dan het gefrituurde deeg: krokant aan de buitenkant, zacht van binnen... Ze zijn niet heel erg makkelijk te maken, maar aangezien donuts uit de winkel nooit zo volmaakt zijn als zelfgebakken, vind ik het zeker de moeite waard om het te proberen!

VOOR ZESTIEN STUKS

Een takje versgeplukte lavendel
290 gr witte basterdsuiker
170 ml melk
12 gr verse gist
500 gr bloem
snufje zout
½ vanillestokje
30 gr boter in blokjes
2 eieren
plantaardige olie om te frituren

De lavendelsuiker
Snij het takje lavendel klein. Stop het met 200 gr suiker in een luchtdichte verpakking en laat het een paar dagen trekken.

Tip:
Lavendel. Eigenlijk is juni pas de tijd voor lavendel, dus als je deze donuts in een ander seizoen maakt, kun je ook vanillesuiker of kaneel gebruiken.

De donuts
Zorg dat alle ingrediënten op kamertemperatuur zijn. Giet de melk in een klein kommetje, voeg gist, suiker en 125 gr bloem toe. Roer het goed door. Laat het een tijdje staan. Zeef intussen de rest van de bloem boven een grote kom. Voeg daar zout, de zaadjes uit het vanillestokje, de boter en de eieren aan toe. Doe het melkmengsel erbij en kneed alles goed door elkaar.

Haal het deeg dan uit de kom en kneed het tot het glad en elastisch is. Mogelijk moet je wat extra bloem toevoegen. Dit duurt zo'n tien minuten, afhankelijk van hoe hard je je best doet. Maak een bal van het deeg en dek die af met een vochtige doek tot hij tweemaal zo groot is geworden. Donutdeeg is nog lekkerder als je het een nachtje in de koelkast laat liggen, maar het ligt er maar net aan hoeveel geduld je kunt opbrengen...

Kneed het deeg nog een keer door tot het volume weer is afgenomen tot de oorspronkelijke hoeveelheid. Rol het uit tot 3 mm dikte. Dan ga je je donuts uitsteken. Je kunt beter vierkantjes maken dan cirkels, want dat is een stuk makkelijker bij het bakken. Laat de donuts nogmaals rijzen tot ze tweemaal zo groot zijn.

Verhit een laag van 2,5 cm olie in een hoge pan, tot 170°C. (Daarvoor moet je de temperatuur constant bijhouden met een kookthermometer.) Frituur de donuts tot ze licht goudbruin zijn. Rol ze dan door de lavendelsuiker en laat ze een paar minuten afkoelen. Dan meteen opeten!

Pas op: Hete olie is gevaarlijk. Het kan spetteren, je kunt je eraan branden en het kan in brand vliegen.

Recepten voor de zomer

Zeebaars met witte wijn en boter

Artur en ik eten dit 's zomers elke zondagmiddag. De smaak is zo subtiel en eenvoudig en de vis zo verfijnd dat dit gerecht echt smelt in de mond. En het is ongelooflijk gezond, wat een extra meevaller is.

VOOR TWEE PERSONEN

2 zeebaarsfilets
50 ml extra virgine olijfolie
75 ml droge witte wijn
1 eetlepel witte wijnazijn
1 theelepel zeezout
1 hele knoflook
1 kleine, milde rode peper
6 middelgrote aardappelen
oregano
85 gr boter
100 ml melk
zout en zwarte peper
150 gr boerenkool

Was de zeebaarsfilets en droog ze af. Leg ze in een ondiepe pan in een marinade van olijfolie, witte wijn, azijn en zout. Hak de knoflook en de chilipeper fijn en doe het bij de marinade. Draai de filets af en toe om, zodat ze volledig bedekt zijn door de marinade. Als je tijd hebt, laat ze dan een uur marineren, maar in elk geval minimaal twintig minuten. (Als je de filets langer dan twintig minuten laat marineren, dek ze dan af en zet ze in de koelkast.)

Kook de aardappelen tot ze zacht zijn, met een beetje oregano en zout in het water. Terwijl de aardappelen koken zet je een pan met water op voor de boerenkool. Die moet twee tot drie minuten koken.

Giet de aardappelen af. Smelt veertig gram boter in een andere pan en schenk de melk erbij. Breng het aan de kook en doe de aardappels in de hete melk. Laat het nog drie tot vier minuten op het vuur staan en breng het op smaak met zout en peper. Haal de pan van het vuur en stamp de aardappelen tot een romige puree.

Voor de saus smelt je 25 gr boter in een klein pannetje. Voeg daar de marinade bij en laat het zo'n tien minuten pruttelen.

Verhit een anti-aanbakpan op een middelhoge vlam. Laat 20 gr boter smelten en bak de visfilets met de huid naar beneden zo'n drie minuten. Draai ze dan om en bak de andere kant nog twee minuten. Misschien hebben ze iets langer nodig, dat ligt eraan hoe dik de filets zijn. Zeebaars is gaar als de vis door en door wit is.

Leg de vis op borden met de aardappelpuree en de boerenkool. Giet de saus uit het kleine pannetje in de vispan en laat hem een minuutje sudderen. Giet de saus dan over de vis en dien hem op.

Tip: Als je geen zeebaars kunt krijgen, doet deze saus het ook heel goed bij tilapia.

Maple butterscotch-toffee-ijs

IJs maakt een zomermiddag, -ochtend of -avond helemaal compleet. Chefkok Van Praag heeft een onvoorstelbaar aantal heerlijke smaken op zijn repertoire staan, maar ik vind dit de lekkerste vanwege de verschillende structuren die erin zitten. De combinatie van het koele roomijs met de krokante butterscotch-toffee en warme, gesmolten chocolade is een ware smaaksensatie.

DE BUTTERSCHOTCH-TOFFEE

20 gr glucosesiroop (verkrijgbaar bij veel drogisterijen en soms bij de supermarkt)
80 gr maple siroop (ahornsiroop)
175 gr lichtbruine basterdsuiker
130 ml water
6 gr zuiveringszout

Giet de glucose in een diepe pan (anders kan het overlopen als je het zuiveringszout erbij doet). Gebruik een warme lepel om het kleverige goedje los te roeren als dat nodig is. Doe de maple siroop, suiker en water erbij en roer alles goed door. Breng het mengsel aan de kook (zonder verder te roeren) op een middelhoge vlam. Hou met een suikerthermometer de temperatuur in de gaten en haal de pan van het vuur als het mengsel de 146°C bereikt. (Boven de 150°C brandt het aan en dan smaakt het afschuwelijk.)

Voeg dan direct het zuiveringszout toe en klop het stevig door elkaar, maar pas wel op voor spatten en erupties, aangezien het heel snel omhoog komt. Doe het mengsel over in een anti-aanbakvorm (18x18 cm), het liefst eentje van siliconen. Eventueel kun je ook een ingevet bakblik gebruiken. Laat het mengsel in ongeveer een uur afkoelen tot kamertemperatuur.

Tip: Mocht er toch toffee over je werkblad of je keukenspullen spatten, dan kun je het makkelijk weghalen met kokend water.

Tip: Deze butterschotch-toffee smelt op de tong. Als je het liever iets steviger hebt, kun je nog 5 gr glucosesiroop toevoegen.

ROOMIJS

400 ml volle melk
600 ml slagroom
5 eidooiers
115 gr witte basterdsuiker
1½ vanillestokje

Doe de melk en de slagroom bij elkaar in een pan, breng het op stoom (het stadium vlak voordat het begint te pruttelen) en voeg de zaadjes uit de vanillestokjes eraan toe. Haal de pan van het vuur. Klop de eidooiers schuimig en licht met de suiker. Giet het eimengsel bij de warme melk en blijf kloppen. Zet het mengsel in een schone pan op een laag vuurtje. Blijf roeren tot het zo dik is dat het aan een houten lepel blijft kleven.* Zorg dat er geen klontjes in zitten, maar het mag ook geen roerei worden. Zeef het mengsel boven een koude kom.

Giet het in een ijsmachine en laat die draaien tot het ijs bijna klaar is. Voeg dan de butterschotch-toffee toe, in kleine stukjes gehakt, en zet de machine aan tot het ijs klaar is. Serveer het ijs met gesmolten chocola.

Tip: Ook zonder ijsmachine kun je prima met dit recept uit de voeten! Giet het ijs dan gewoon in een plastic bakje met deksel en zet het in de vriezer. Haal het mengsel er na een half uur uit en roer het glad. Zet het dan weer terug in de vriezer. Dit proces herhaal je een keer of drie, vier, om het half uur, tot het ijs volledig bevroren en glad is. Voeg de butterschotch-toffee pas op het laatst toe, na de laatste keer doorroeren, maar voordat het volledig bevroren is.

* Als je het mengsel doorroert op een laag vuurtje, moet je zorgen dat de eieren vijf minuten lang tot 72°C zijn verhit om ze te pasteuriseren (en daarmee een mogelijk salmonella-risico uit te sluiten).

Recepten voor de herfst

Soep van muskaatpompoen met spekjes

Mijn man Artur heeft een uitgebreid en altijd spontaan repertoire van soepen. De recepten verzamel ik in een notitieboekje dat altijd in de keukenkast ligt. Deze soep mag hij van mij elke decemberdag maken. Als Portugees garneert hij deze verder vegetarische lekkernij met spek, maar deze soep is even lekker als je er amandelen overheen strooit.

VOOR VIER PERSONEN

Klontje zoute boter
3 eetlepels olijfolie
1 middelgrote muskaatpompoen (butternut squash), in blokjes
1 hele knoflook, fijngehakt
kurkuma
milde chilipoeder
paprika
1 pastinaak, in blokjes
2 groentebouillonblokjes
1,5 liter water
2 middelgrote aardappelen, in blokjes
100 ml melk
50 gr Parmezaanse kaas
zout en zwarte peper naar smaak
optioneel: 3 plakjes spek of een handvol amandelsnippers

Verhit de olijfolie en de boter in een diepe pan. Als de boter is gesmolten, doe je de pompoen en de knoflook erbij. Dan kurkuma, milde chilipoeder en paprika naar smaak toevoegen. Op een middelhoge vlam fruiten tot alles zacht en goudbruin is, terwijl je blijft roeren.

Voeg de pastinaak toe en blijf roeren. Los de bouillonblokjes op in 1,5 liter kokend water en giet eenderde daarvan in de pan. Doe de aardappels erbij. Breng het geheel aan de kook en voeg dan de rest van de bouillon toe. Laat het op een middelhoge vlam sudderen tot alle groente zacht is. Draai dan de vlam laag en giet de melk erbij. Laat de soep vijf minuten zachtjes koken.

Pureer de groenten in de soep met een staafmixer. Dan de Parmezaanse kaas erbij, en zout en peper naar smaak. Laat de smaken voor het opdienen tien minuten lang goed trekken.

Serveer de soep met kleine krokante spekjes of amandelsnippers.

Pruimentruffels met wilde honing

Ik ben dol op chocoladetruffels en deze zijn echt fenomenaal. Gek genoeg zijn ze ook heel makkelijk te maken (hoewel het nog een hele kunst was om het recept helemaal goed te krijgen – en daarvoor had ik de zware taak om HEEL VEEL truffels te moeten proeven!). Het is uiteraard zeer de moeite waard.

VOOR CIRCA 50 TRUFFELS

210 ml water
3 eetlepels wilde honing
240 gr ongezouten boter
400 gr chocola (minimaal 72% cacaogehalte)
40 damastpruimen (of zure kersen), ontpit en in plakjes gesneden
een beetje cacao om de truffels in te rollen

Warm het water met de honing tot het zachtjes pruttelt en haal het dan van het vuur. Doe de boter en de chocola erbij. Roer alles goed door voordat de pruimen erbij gaan. Giet het mengsel in een bakblik (circa 18x25 cm) en zet het ongeveer twee uur koel weg om te stollen.

Haal het blik dan uit de koelkast en snij het gestolde mengsel in stukjes. Rol ze eerst nog even door de cacao voor je erop aanvalt...

Recepten voor de winter

Kippensoep op z'n Portugees

Waar ik deze soep ook eet, in gedachten zit ik altijd meteen weer in de keuken van mijn schoonmoeder op Madeira – een prachtige plek. Als je de authentieke specerijen kunt vinden, zul jij je ook in Portugal wanen. Maar ook zonder is dit een heerlijke soep.

VOOR VIER PERSONEN, OF TWEE HONGERLAPPEN

55 ml plantaardige olie
4 stukken kip (poten of filets)
1 eetlepel rode paprikapoeder (of nog beter: *colorau*)
1 theelepel milde chilipoeder (of nog beter: *pimenta moida*)
2 blaadjes laurier
1 hele knoflook, fijngehakt
1 middelgrote tomaat, in kleine stukjes
1 eetlepel tomatenpuree
1 middelgrote witte ui, in ringen
zout naar smaak
50 ml droge witte wijn
1,5 liter water
5 middelgrote aardappelen
4 wortels, in kleine stukjes
200 gr diepvrieserwten

Verhit de olie in een diepe pan, voeg daar de kip bij met de specerijen, laurier, knoflook, tomaat en tomatenpuree, uien en zout. Roer stevig door tot alle stukken kip bedekt zijn met het mengsel. Bak ze ongeveer acht minuten aan, tot de uien zacht zijn. Giet de wijn erbij en laat het vijf minuten sudderen, daarna water erbij en weer aan de kook brengen. Doe de aardappels erbij. Als die bijna gaar zijn, kunnen de stukjes wortel erbij. Laat het geheel een minuutje of zeven sudderen. Dan tot slot de erwten toevoegen en laat het dan nog twee tot drie minuten koken. Draai de vlam uit en laat de soep een paar minuten afkoelen voordat je hem opdient.

Chocoladeplaatkoek

Als ik de rest van mijn leven nog maar één chocoladerecept mocht maken, dan zou ik dit kiezen. Ik kan het nooit bij één stukje laten, en het lijkt me sterk dat dat jou wel lukt. Het is werkelijk hemels om dit op een winteravond te eten met een kop warme chocolademelk, lekker op de bank bij de open haard.

VOOR ZESTIEN STUKKEN, MAAR HET AANTAL PERSONEN IS EIGENLIJK ERVAN AFHANKELIJK OF JIJ EEN ROYALE BUI HEBT...

220 gr ongezouten boter
1 vanillestokje
280 gr zachte bruine suiker
4 eetlepels kandijsiroop
snufje zout
60 gr goede kwaliteit cacaopoeder
300 gr grove havervlokken

Smelt de boter, haal de pan van het vuur en schraap de vanillezaadjes erin. Doe ook de rest van het vanillestokje erin en laat het een half uur trekken. Haal het vanillestokje eruit en zet de pan weer op een laag vuurtje. Voeg suiker, kandijsiroop, zout en cacao toe. Laat het vijf minuten al roerend pruttelen. Doe de havervlokken erbij en roer het goed door. (Probeer niet al te veel van het beslag te snoepen!)

Giet het plaatkoekbeslag op een bakplaat en strijk het glad tot ongeveer 2 centimeter dikte. 25 minuten bakken op 150°C. Haal de plaat uit de oven, snij de koek in stukjes en laat die volledig afkoelen op een rooster.

Mijn liefde en dank gaat uit naar...

Mijn man Artur die zo ruimhartig, geestig, lief en geniaal is dat ik er elke dag weer dankbaar voor ben. Mijn moeder Vicky, een niet-aflatende bron van vertrouwen, wijsheid, vreugde en inspiratie. Mijn vader David, voor al zijn liefde, zijn literaire genen en omdat hij ooit heeft gezegd dat ik ervoor in de wieg gelegd ben om schrijver te worden. Mijn broer Jack die mijn hart vult met geluk en mijn buik met zijn culinaire talent. Mijn grootouders Arnold en Fay die dol op me waren, altijd luisterden en een geweldig voorbeeld waren omdat ze altijd trouw zijn gebleven aan hun dromen. Christine, die ons onder haar vleugels nam en in haar hart sloot, de liefste stiefmoeder die een meisje zich maar kon wensen. Ray, een stiefvader die zoveel opgaf, bedankt voor je vergevingsgezindheid. Mijn lieve Idilia, die vanaf het begin een zielsverwant en enthousiaste steun en toeverlaat was. Mijn heerlijke nicht Lucy die met haar liefdevolle hart voor alles openstaat. Mijn tante Kathy die mij steeds heeft aangemoedigd en gesteund. Steph en Celso die me binnenhaalden in hun familie. Mai en Pai die me onvoorwaardelijk accepteren en liefhebben.

Mijn allereerste redacteuren Timma, Nanette, Katia, Angela en P. K. Jullie bijdrage was van onschatbare waarde. En al mijn lezers van het eerste uur: Idilia, Hazel, Rosie N., Hilli, Heike, Kelly-Jo, Jodi, Holly, Fern, Abi, Susan, Josh, Alisa, Julie, Valerie, Yolanda, Karen, Ursula, Katja, Colleen, Jaime, Cindee, Isabelle, Dorothy, Alex, Britta, Antje, Rosie A., Sandra, Vicky en Mark. Jullie bijdragen waren van onschatbare waarde.

In het bijzonder wil ik Ariel en Shya Kane bedanken voor hun ongelooflijke wijsheid, inzicht, inspiratie en invoelingsvermogen. Jullie zijn allebei even wonderbaarlijk, een godsgeschenk. Zonder jullie twee zou er geen boek zijn, bedankt, bedankt, bedankt! En de rest van de Transformational Community die hierboven niet genoemd wordt, ook bedankt! Jullie zijn zo inspirerend: Stephan & Maiken, Stefanie & Rainer, Rod & Caitlin, Amy & Andy, Marie & Josh, Mac & Ellen, Ralf & Arne, Joe & Lenore, Harry & Annette, Britt & Frank, Tricia & Sue, Bill & Charlotte, Claudia & Bernd, Dorina & Norman, John, Karen L., Tony, Stefanie E., Stefanie H., Andy S., Sandy, Andrea, Elfi, Terri, Livia, Elke, Tanja, Christina, Sonja, Carola, Heidi, Henning, Katrin, Sue D., Susan F., Colleen, Ulf,

Jessica, Stan en alle andere fantastische mensen die ik zo dom was om hier niet te noemen. Mijn lieve vriendin Stefanie die haar grote talent en kostbare tijd inzette voor het ontwerp van het eerste omslag van dit boek en de prachtige website. En de ongelooflijke Fernanda Franco die de illustraties maakte waarop het huidige omslag gebaseerd is. Ik ben heel erg blij met jullie.

Medeschrijvers Penny, Katia en Laurence omdat ze zo'n fantastisch talent hebben, altijd een steun in de rug en eerlijk zijn – jullie zij de beste groep schrijvers en de meest fantastische vriendinnen die ik me maar kon wensen. Dave ben ik dankbaar voor zijn ruimhartigheid, en ik dank hem dat hij er altijd is en de lat zo hoog legt!

En meer vrienden wijd en zijd verspreid: de prachtige Val voor alle pret! Rachelle voor haar goede zorgen; Ben voor zijn onvoorwaardelijke liefde; Har Hari die mijn ziel voedt; Steve B. voor zijn tijd, wijsheid en steun; Simon S. die in Oxford een toevluchtsoord was; Prince Thomas die altijd ja zegt; Jules die mijn beste maatje aller tijden is; Jack voor zijn heldere inzicht en zijn grote hart; Nashy voor alle lol en gratis bioscoopbezoekjes; Paul voor zijn onvoorstelbaar lieve loyaliteit; Lotte die mijn eerste en heerlijk giechelende danspartner was; Rosie voor alle lome koffiemiddagen en het schrijfplezier; Jamie voor haar moed en inlevingsvermogen; Hazel voor alle warme chocolademelk; Rosie Pie voor de hele taart en Marilyn-dagen; Melissa die al zo lang mijn vriendin is; Krishna voor zijn inzicht en inspiratie; Emma met haar lach; Alice en Cosi voor hun kickboksvaardigheden; Morgan voor haar koekjes-met-room-cupcakes; Martin T. voor alle lieve dingen; Al die me verplettert; Alex C. die het leven op kantoor bijna dragelijk maakt; M. J. voor haar enthousiasme; Julietta voor de slappe lach bij yoga; Oksana die zo lief en ruimhartig is; Pam, David W., Louise C., Alice R., Miriam, Francois S., Paul S., Don A., Matt, Katherine, Gill, Bill, Maria, Gerald, Mirjana, Sam, Natalie, Lara, Barney, Toni, Gemma, Will, Liz en James, Robert, Ros, Colin, Mike, Asif, Claire, Holly en Alex.

Heel veel dank aan Katie Fford en Fiona Walker die zo hartelijk waren om het werk van een onbekende schrijver te lezen, net als Sophie en Audrey Boss. Kate Osborne die achter de eigen uitgave stond en me stimuleerde in moeilijke tijden.

Hannah, Simon, Andy en Helen bij Borders, Cambridge, die het boek geweldig vonden en er vanaf het begin in hebben geloofd. Klaus bij Watkins, Brian bij David's en iedereen bij Ark, die de gok durfde te nemen met een nieuwkomer.

Al mijn magnifieke docenten: Carol Stewart, zo inspirerend dat ze me zelfs leerde genieten van Chaucer, en Simon Skinner, Maurice Keen, Martin Conway en John Davis voor al hun geduld, gedeelde inzichten en onuitsprekelijke hartelijkheid.

Mijn spirituele leermeesters: Ariel en Shya Kane, Byron Katie, Julia Cameron, Sonia Choquette, Jeff en Julie, Mike Dooley, Vicky van Praag en Ben Trelease. Jullie hielpen mij steeds opnieuw mijn hart te openen. Daar ben ik onvoorstelbaar dankbaar voor.

En *last, but not least*, het complete team van Hay House. Zij hebben dit boek op de wereld gezet en de boodschap veel verder uitgedragen dan ik in mijn eentje ooit had gekund. Mijn eeuwige dank gaat uit naar Michelle die in dit boek geloofde, Alexandra die het op fenomenale wijze aan de rest van de wereld wist te verkopen, Wendy en Joanna die het manuscript hebben vervolmaakt, Leanne voor haar prachtige ontwerpen, Jo en Louise voor hun geweldige publiciteitswerk, en Amanda voor haar ongelooflijke enthousiasme, steun en bovenmenselijk geduld met mijn eindeloze stroom mailtjes! Ik had me geen betere thuishaven voor mijn boek kunnen wensen. Iedereen bedankt.